Collection
JEUNESSE/ROMANS PLUS
dirigée par
Raymond Plante

SIMON YOURM

Données de catalogage avant publication (Canada)

Leboeuf, Gaétan
  Simon Yourm
  (Collection Jeunesse/romans)
  2-89037-318-5
  I. Titre.   II. Collection.
PS8573.E26S55 1986   jC843'.54   C86-096368-3
PS9573.E26S55 1986
PQ3919.2.L42S55 1986

Ce livre a été produit avec un ordinateur Macintosh
de Apple Computer Inc.

TOUS DROITS DE TRADUCTION, DE REPRODUCTION
ET D'ADAPTATION RÉSERVÉS
©1986, Éditions Québec/Amérique
Dépôt légal:
3e trimestre 1986
Bibliothèque nationale du Québec
ISBN 2-89037-318-5

Gaétan Leboeuf

SIMON YOURM

roman

QUÉBEC/AMÉRIQUE
425, rue Saint-Jean-Baptiste
Vieux-Montréal, Québec
H2Y 2Z7

DANS LA MÊME COLLECTION

Chapitre 1

A huit ans, Simon avait transformé un vieux grille-pain en un moule automatique à petits soldats. Il lui suffisait d'introduire des morceaux de plastique dans une des fentes. Une minute plus tard, un petit bonhomme vert bondissait hors de la seconde fente. Lorsque le père de Simon découvrit l'invention, la moitié des bols à dessert avaient disparu dans le grille-pain.

Simon crut longtemps qu'il s'était fait chicaner parce qu'il avait donné à ses centaines de figurines les traits de son père, moustaches comprises.

Ses parents n'étaient pas riches. Sauf aux yeux de Simon pour qui le dépotoir, dont son père était le gardien, représentait une fortune romanesque. C'est au milieu de ces rebuts que Simon allait chercher les matériaux nécessaires à la réalisation de ses projets. Il s'agissait pour la plupart du temps de petites inventions pratiques sans grandes prétentions.

Les lentilles cornéennes télévisions, c'était sa dernière invention. Tellement légères et confortables qu'on pouvait les porter au lit. Deux minuscules antennes collées aux tempes établissaient la communication entre le vidéo disque et les lentilles cornéennes. Simon terminait le visionnement d'une ancienne version des *Trois Mousquetaires* avec Gene Kelly dans le rôle de D'Artagnan. On s'attendait toujours à le voir danser au milieu d'un combat, mais ça n'arrivait jamais. Simon déposa les lentilles dans leur boîte et se dirigea vers la cuisine. Il avait faim. Il lui faudrait être en forme pour affronter le gérant de banque.

Il couvrit d'un épais couvercle l'assiette dans laquelle il venait de déposer son steak fumant. Des bruits secs se firent entendre pour cesser dès que le steak fut coupé en petites bouchées. Son courrier ainsi que son journal étaient posés à côté de son assiette. Un tapis roulant de six centimètres de large le faisait cheminer de la boîte aux lettres à la cuisine. Une cellule photo-électrique déclenchait le tapis lorsque le courrier était disposé dans la boîte aux lettres.

Dans le petit tas, il trouva cinq factures et des annonces de quatre différentes pizzérias. Une lettre de la banque aussi, qui menaçait de faire saisir ses meubles s'il ne renégociait pas son prêt. Son gérant et lui devraient s'entendre pour différer les paiements.

Il faudrait bien qu'il se fasse à l'idée de vendre encore une invention. Chaque fois qu'il se défaisait d'une patente, il lui semblait perdre un enfant. C'est ce qu'il avait dit en vendant les droits sur ces autres lentilles paupières, devenant des longues vues dont l'utilisateur contrôlait à volonté la portée.

Avalant le dernier morceau de steak et le dernier bout de carotte, il se leva pour aller à la banque discuter avec Brandon Cursaint. Il avait en poche une promesse d'achat du président d'une chaîne de magasins à rayons. Le président s'y disait très intéressé par ses souliers démontables/lavables et à semelles de couleurs interchangeables.

Au moment de sortir de chez lui, la sonnette de la porte avant bourdonna. Il se précipita vers la porte d'en arrière afin d'éviter le probable créancier. Il enfila son imperméable sans prendre la peine de décharger ses lourdes poches bourrées au maximum et escalada le monticule de ferraille qui remplissait la cour. Simon avait racheté la demeure de ses parents lorsque ceux-ci étaient morts dans un accident de voiture, quatre ans plus tôt. Son père, complètement saoul ce soir-là, était au volant. Comme Simon l'avait dit à cette époque, il lui aurait sûrement pardonné s'il avait été le seul à mourir.

En redescendant, Simon s'égratigna le menton contre la porte d'un vieux four à micro-ondes. Le gérant allait croire qu'il s'était coupé en se rasant, lui qui s'épilait aux ultrasons depuis trois ans.

Il arriva à la banque à dix heures et trois.

–Entrez! lui dit Brandon Cursaint, l'invitant dans son bureau. Vous vous êtes coupé ce matin?

–Hum? Oui, j'étais pressé.

–C'est comme votre dossier. J'espère que vous apportez du nouveau si vous voulez rééchelonner votre dette. Vous savez ce que nous vous avons dit la dernière fois...

Simon sortit la promesse d'achat de sa poche. Elle était froissée et tachée de terre. Il se sentit honteux. Comme il tendait son torchon, un cri retentit dans la banque.

–Bougez pas! C'est un hold-up!

Trois hommes masqués menaçaient la clientèle et les caissières de leurs armes. Les trois bandits semblaient n'avoir pas plus de seize, dix-sept ans. Ce qui ne les rendait pas moins dangereux. Chacun brandissait le même type de fusils automatiques. Ils fermèrent les rideaux pour qu'on ne puisse rien voir de la rue.

Dans son bureau, Brandon Cursaint

mangeait pratiquement le récepteur du téléphone en bégayant à l'opératrice de lui envoyer la police.

Un des cambrioleurs fit irruption dans le cabinet et débrancha violemment le téléphone. Il venait prendre le gérant de banque en otage. Il emmena Simon aussi "pour être sûr de ne pas se tromper", affirma le bandit. Ils n'avaient pas le temps de vérifier qui était qui. En entendant le malfaiteur, Simon eut un léger soubresaut: il connaissait cette voix. Ils furent entraînés à l'extérieur où les attendait une voiture.

—Allez, montez!

—Vite, à l'hôtel maintenant! fit un autre des jeunes complices.

Simon eut un nouveau choc. Cette voix lui était également familière. En fait, les deux voix se ressemblaient énormément. Néanmoins, il n'arrivait toujours pas à les identifier.

Simon était assis sur la banquette arrière, du côté de la portière droite. Il fit un large sourire au bandit assis devant qui lui ordonnait de ne pas faire de conneries. Simon arborait toujours son sourire lorsqu'il se tourna vers Brandon Cursaint qui n'en fut pas pour autant réconforté. En fait, l'air confiant de Simon le fit frissonner. Simon glissa la main dans une des énormes poches de son imperméable. Il en sortit un objet d'aspect rebutant et plutôt lourd. C'était un klaxon qu'il avait fabriqué pour se protéger des chauffards. Deux piles de neuf volts et un ingénieux système d'amplification produisaient un son capable d'intimider n'importe quel dix-huit roues.

Une fois les quatre portes fermées, il fit signe à Brandon Cursaint de se boucher les oreilles. Celui-ci, quoique sceptique, s'exécuta d'un geste vif. Simon jeta le klaxon sur la banquette avant en barrant l'interrupteur. Un des jeunes tenta en vain de les empêcher de sortir: ses mains se portaient irrésistiblement vers ses oreilles. Simon bondit hors de la voiture, entraînant Cursaint et refermant la porte derrière eux. De l'extérieur le bruit était infernal. Sur la rue, tout le monde se bouchait les oreilles. Dans la voiture, c'était la panique. On imaginait, sous les cagoules, les traits se crispant de douleur. Les corps se trémoussaient comme des poissons au bout d'un harpon, cherchant à arrêter le bruit.

Simon voulut rester pour voir les visages de ceux dont il avait cru reconnaître la voix. Mais le gérant, que le bruit rendait fou, l'entraîna à l'intérieur de la banque. Il lui proposa de rééchelonner sa dette et même, de lui accorder un nouveau prêt, s'il laissait à la banque le soin de commercialiser le klaxon. Simon accepta à condition que son invention ne soit vendue qu'à des cyclistes. A onze heures, il était de retour chez lui.

Chapitre 2

D'un cigare au bout mâchouillé et dégoulinant de salive, sortait une fumée épaisse et jaunâtre. Vu au travers de ce petit écran, l'homme qui tenait le havane entre ses lèvres molles semblait souffrir d'hépatite. Etant donné l'état de son foie, c'était bien possible. Ce vieil homme au ventre moelleux buvait trop, beaucoup trop.

L'homme regardait la salle remplie d'appareils disposés tout autour du siège sur lequel il méditait. Cette chaise en osier était le seul objet dans cette pièce qui ne sentait pas la technique. Elle sentait l'osier.

Avec un sourire qui soulevait péniblement ses joues pendantes, le vieil homme faisait courir son regard. Sa chaise pivota sur le socle circulaire qui la soutenait. Ce disque était muni d'indicateurs numériques et d'un clavier à trente clefs. Les yeux de l'homme finirent par se poser sur un manuscrit jaunâtre et croustillant en équilibre sur un des accoudoirs du fauteuil. Le manuscrit était initialé "S".

Il se leva d'un bond et quitta la salle, satisfait. Il pénétra dans une autre pièce. Celle-ci, un peu plus petite, était tapissée de miroirs. Regardant une de ces glaces, il se mit à prononcer un discours passionné et plus ou moins cohérent.

—Les peuples ont grand besoin de guides. Ils le savent. VOUS le savez! Seul, le peuple se retrouve désemparé, comme un corps sans tête! Mais l'histoire a démontré que l'autocratie fondée sur la soif de pouvoir était destructrice. Nous allons régner par et pour la science! La science au service de l'homme! La science à la conquête de l'homme! Seulement... Pour enfin établir l'ordre scientifique sur cette boule fangeuse, il nous faut conquérir!

16

Le vieux se pencha vers le sol, posant ses mains sur un miroir posé en coin sol/mur, son regard se perdant au loin.

–Faire ramper ses doigts sur les cartes vivantes! Mais! Trahisons! Sans cesse trahisons! Tous les grands conquérants ont été victimes de l'incompétence de leurs subalternes; de l'arrogance de leurs généraux ainsi que de leur jalousie; trahis par des simagrés de pattes peluchées! Hypocrites bâtards profitant des héroïques conquêtes d'autrui! Ou trahis par le peuple, aveugle aux visions surhumaines.

Il se tourna vers un autre miroir qu'on avait dépoli en y traçant une carte du monde.

–Mais tout ça va changer! Je vais briser ce cercle de traîtrises. Je serai mes généraux! Mes lieutenants, mes subalternes! Mon peuple! TOI! fit-il encore, se regardant dans une glace déformante qui lui enflait la tête, toi tu ne me trahiras pas! Non, Monsieur Yourm! Tu ne refuseras pas. Tu ne pourras pas refuser!

Epuisé par sa harangue, il se laissa tomber sur un fauteuil en cuir. Celui-ci était placé de façon à ce qui son occupant soit reflété par tous les miroirs à la fois. Il prit la pile de dossiers qui était posée au pied du meuble. Ecartant les albums de photos et les jounaux personnels qu'il avait déjà maintes fois consultés, il ouvrit le premier des trois épais dossiers médicaux.

–1977! Décidément une bonne année! Les parents morts, pas encore marié. En bonne santé, les poumons toujours propres.

Une demi-heure plus tard, il laissa tomber les dossiers par terre et se leva. Il retourna dans la première salle. Juste avant de s'asseoir sur l'osier, il programma le socle noir sur lequel il reposait: année 1977; lieu: 548 yt.

Chapitre 3

Avalant le dernier morceau de steak et le dernier bout de carotte restant dans son assiette, il se leva pour aller à la banque discuter avec Brandon Cursaint. Il avait en poche une promesse d'achat du président d'une chaîne de magasins à rayons. Le président s'y disait très intéressé par ses souliers démontables/lavables à semelles de couleurs interchangeables.

Au moment de sortir de chez lui, la sonnette de la porte avant bourdonna. Il se précipita vers la porte arrière afin d'éviter le probable créancier. Il enfila son imperméable après avoir enlevé tous les objets qui alourdissaient ses poches; entre autre, le nouveau klaxon qu'il venait de fabriquer pour sa chaise à roulettes. Juste comme il allait gravir le monticule de ferraille qui remplissait la cour, l'idée lui vint de rentrer et de vérifier s'il s'agissait bien d'un créancier.

Simon rampa jusqu'à la fenêtre. Il vit alors le képi du livreur de télégramme qui s'en retournait vers son camion. Simon se précipita dehors. Les créanciers n'envoyaient jamais de télégramme!

–Ça doit être quelque chose d'intéressant!

Il renversa au passage une petite fusée téléguidée qui n'avait jamais voulu fonctionner. En se brisant, elle s'alluma et se mit à tourner sur elle-même en éjectant une longue flamme. Il dut danser à la corde tout en courant vers la rue pour éviter d'avoir les chevilles calcinées. Son pantalon fut néanmoins ruiné.

Le camion démarrait déjà. Il donna des coups de poing sur la porte arrière du véhicule. Celui-ci s'arrêta sec et Simon s'y cogna la joue.

Après s'être expliqué avec le livreur, il

rentra chez lui. La fusée achevait de se consumer. Le bas de la porte était troué et fumait. La maison entière était remplie de boucane.

Il s'assit près d'une fenêtre pour lire le télégramme. Un homme affirmant être son oncle l'invitait à le rencontrer. Il venait tout juste d'arriver en Amérique. L'homme lui donnait rendez-vous dans une chambre d'hôtel du centre-ville. Simon devrait s'y rendre dans moins de trois heures.

C'était signé: «S. Yourm.»

"Mon père n'a jamais eu de frère" se dit Simon. "A moins qu'il ait eu un frère bâtard dont on lui aurait caché l'existence... Ma grand-mère qui aurait eu une aventure? Un autre fils outre mon père, outre mer..."

Simon se présenta quelques heures plus tard au rendez-vous. A peine avait-il cogné à la porte que celle-ci s'ouvrit.

–A l'heure! Evidemment... Le vieil homme tenait un chronomètre dans la main. Il fit entrer Simon dans le salon. Simon fut étonné par la ressemblance qu'il y avait entre lui-même et cet homme.

C'était bien ce qu'il pourrait avoir l'air à cinquante, soixante ans. Simon allait lui demander ce qu'il entendait par "A l'heure! Evidemment..." Lorsque le vieux prononça ces paroles qui allaient rester gravées pour toujours dans la mémoire de Simon.

—Coucou! dit l'homme, c'est toi!

—Eh! oui, c'est moi, répondit Simon, ne comprenant pas.

—Non, je veux dire, moi, c'est toi. Toi à 59 ans.

—Pardon?

—Oui, bon, je sais, j'aurais pu prendre des pincettes... mais, tu sais, tu n'es pas le premier que j'aborde. Et puis, de toute façon, tu n'as jamais refusé de me suivre.

Le vieux regarda vers la fenêtre.

—Enfin... presque jamais. Alors...

—Alors quoi? Qu'est-ce que vous racontez?

—Je suis ce que tu pourrais appeler, disons-le crûment: toi-même!

—Tiens donc!...

—Tu ne me crois pas? Evidemment.

Simon le vit sortir un paquet de derrière

une étrange chaise en osier, posée sur un massif socle noir.

—Tu connais ça?

Il lui mit sous le nez un manuscrit jauni et craquelé, titré: "*Extrapolations sur les possibilités théoriques des voyages dans le temps*." par S. Yourm.

—C'est bien ton écriture? demanda le vieux, lui laissant le manuscrit sur les bras.

Simon dut reconnaître que oui.

—Et ceci?

Il lui présenta un pantalon en tout point semblable à celui que portait Simon. Brûlé à la hauteur de la cheville. Le gâchis causé par la fusée, quelques heures plus tôt.

—Qu'est-ce que vous voulez?!

—Ce que TU veux! Ce que tu veux? Tu veux venir avec moi en 2004.

—En 2004?

Le vieux Simon Yourm s'alluma un cigare.

—Tiens... depuis quand est-ce que je fume?

—Depuis tes 29 ans.

—Et pourquoi est-ce que je vous suivrais? A quoi ça rime?

"Un autre "cas"", se dit le vieux.

–Tu me suivras parce que tu es curieux! Voilà pourquoi! L'an 2004. ça sonne pas bien?

–Curieux, mais pas fou! Qu'est-ce que vous espérez tirer de cette morbide rencontre. Admettant que je vous croie... Oh! et puis, ça fera! Je n'ai pas de temps à perdre...

Simon se dirigea vers la sortie.

–Attends!

Simon se retourna. Cinq jeunes hommes s'amenaient vers lui, l'air agressif et décidé. Lorsque les dix mains l'empoignèrent et l'entraînèrent vers le siège d'osier, ce n'est pas d'elles que Simon avait peur, mais de ces cinq visages, identiques au sien.

Chapitre 4

Simon se retrouva dans une sorte de hangar. Le sol était couvert de foin. L'air chaud portait encore l'odeur des moutons qui n'avaient dû céder leur place que très récemment. De nouveaux compartiments en plastique avaient été installés: des dortoirs, des salles de lecture, de conférence, une cuisine-salle à manger. Comme si une gigantesque auberge de jeunesse avait été transportée dans une ancienne étable. Autour de lui, une foule d'à peu près quarante individus remuait. Personne ne semblait avoir d'activités particulières, la plupart avaient l'air préoccupé. On aurait dit qu'ils

attendaient quelque chose. Certains fri-
saient tout bonnement la panique. D'autres
semblaient tout à fait ravis.

Simon remarqua tout de suite le silence
qui régnait. Personne ne se parlait. Simon
trouva cela plutôt normal, il avait toujours
été introverti. Il regardait tous ces visages
qui étaient le sien. Et tous ceux qui con-
tinuaient à apparaître comme du popcorn.

Beaucoup semblaient incrédules. On
l'eut été à moins. Pourtant... Cinquante
Simon Yourm... La mystification eut été
pour le moins ardue. Chacun avait le même
visage, jusqu'aux moindres traits. Seuls
ceux qui avaient été tirés du lit se démar-
quaient avec leurs demi-lunes grisâtres
sous les yeux.

Simon se décida à briser le silence.

—Tu viens de quand? demanda-t-il à
son voisin assis à la longue table de
conférence.

—Du trois juillet.

—Nous sommes presque voisins! Je
suis du premier!

Ils entamèrent une petite conversation
emplie de cet humour particulier qu'est la

peur recyclée.

–Tu n'as donc pas reçu de télégramme le premier juillet?

–Non. Enfin, je ne sais pas. Je me rappelle qu'on a sonné à la porte ce jour-là, mais j'étais en retard pour le rendez-vous à la banque alors je n'ai pas répondu.

Simon trouva curieux que son ... son "lui-même" semble gêné de lui avouer qu'il avait eu peur que ce soit un créancier. Il interrompit alors la conversation: se superposant à sa vision, des images venaient courir devant ses yeux. Il ferma ses paupières. Il voyait des Simon Yourm, des lui-même. Il en vit dans un campement, en pleine jungle, qui montaient des tentes. Bientôt cette image fut remplacée par d'autres, au Guatémala, au Luxembourg, en Roumanie... Après un moment, tout s'estompa.

–Tu as vu ça? demanda Simon à son visage du trois juillet.

–Vu quoi?

–Rien... J'ai eu l'impression de... Oh!, et puis, rien...

Il décida de garder cela pour lui.

Très vite les visions revinrent. Cette fois, il vit un paysage de la campagne écossaise: des vallons verts fouettés de clôtures en pierre. C'était comme s'il voyait par les yeux de quelqu'un d'autre. Ces yeux par lesquels lui parvenaient ces paysages regardaient maintenant en direction d'un château en ruine autour duquel des dizaines de Yourm marchaient, affectant les mêmes émotions que ceux qui se trouvaient ici avec Simon. Bien vite, cette nouvelle image disparut aussi, remplacée aussitôt par une autre qui le transporta en Amérique centrale. Puis ce furent le Liban, le Brésil, la France, le Botswana, les Philippines et plusieurs autres pays. Les visions l'assaillirent de plus en plus rapidement. Pour les ralentir, il lui fallut un effort de concentration. Il réalisa qu'il pouvait contrôler ces "visions", du moins jusque dans une certaine mesure. Il comprit un peu mieux aussi de quoi il s'agissait. Il voyait par les yeux de ses autres lui-même. Par une sorte de phénomène télépathique dont, il en avait l'intuition, il était le seul à profiter. Il ne savait pas encore pourquoi.

Son introspection, pour le moment plus ou moins volontaire, lui apprit qu'ils étaient plusieurs millions de lui-même sur Terre, en 2004.

–Des millions! Mais qu'est-ce qu'on fait ici?!

Chapitre 5

Simon avait réussi à stopper ses visions. Il s'attaqua alors à observer les Yourm autour de lui. Il reconnaissait certains moments de sa vie. Ici, avec les lentilles-télévisions pendant au cou, là, le nouveau pyjama acheté le mois précédent, etc. Ils portaient aussi des vêtements qu'il ne reconnaissait pas. Il se surprenait, par exemple, d'avoir acheté ce pantalon mauve en coton. Et cette veste de daim! Il se demandait quel brevet il avait dû céder pour se la payer!

A l'extérieur du hangar, un lui-même lança un cri. Simon y courut.

–Regardez! des kangourous.

Ils étaient en Australie! Simon ne s'était pas encore demandé où il avait lui-même abouti.

Tout autour du hangar, c'était le désert. Ils se trouvaient à 4 kilomètres du Rocher d'Ayers dans le parc national du Mont Olga. Les grands kangourous rouges, les seuls à pouvoir survivre dans le désert central, se détachaient sur l'immense forteresse naturelle de plus de 30 mètres de haut, de 3 kilomètres de long et de 2 kilomètres de large. Ses parois beiges lumineuses du petit matin cernaient avec précision la fourrure rouille des marsupiaux.

Des adolescents Yourm entrèrent dans le hangar. Ils distribuèrent des fascicules "Comment tu vas conquérir le monde". Ils annoncèrent que le vieux arriverait bientôt. Chacun devait feuilleter la brochure en attendant.

Il arriva quelques instants plus tard. Le vieux se leva en crachant de petits bouts de cigare qui chatouillaient ses lèvres charnues. Le silence se fit immédiatement.

"Qu'est-ce que j'ai bien pu faire pour

me transformer comme ça?" se demanda Simon.

—Eh bien! dit le vieux. Je vous dois quelques explications. Vous avez jeté un coup d'oeil à la brochure? Je sais que tu as toujours rêvé d'unité, de fraternité humaine.

Simon approuva intérieurement:

"Qu'est-ce qu'il va encore raconter?"

—Mais tu as fini par réaliser combien ton rêve était irréaliste, continua le vieux. L'unité des nations, me suis-je rendu compte, T'ES-TU rendu compte, ne pourra se réaliser que sous l'égide d'un pouvoir unique et stable. Tu as fait des cauchemars sur la démocratie et des rêves sur le fascisme ou le communisme idéal. Mais tu as fini de rêver! Le moment est venu d'agir! Tu as pensé: "mais que faire avec toutes leurs armées? Comment se débarrasser de tous ces chefs d'Etat, de tous ces industriels?" Maintenant tu dis: "mais que valent ces armées face à notre splendide homogénéité?"! Maintenant tu dis: "une armée, un chef, une tête, une victoire!"

Simon regardait son futur visage avec surprise. "Oui, c'est vrai, se disait-il, j'ai déjà eu des tendances fascistes. Mais ce n'étaient que des spasmes de frustration, des souhaits puérils! Ce n'étaient que des bouillons de pensées qui s'évaporaient très vite! Ce type a des fixations!"

Mais ce type, c'était lui!

—Je sais que certains d'entre vous se sentent mal à l'aise devant les Yourm, continuait le vieux, les eux-mêmes qui ont vécu plus longtemps que soi-même.

Le vieux dodelinait sa tête, donnant à son ton paternaliste encore plus de relief.

—Vous vous dites: "lui qui vient du vingt-cinq décembre alors que je suis du premier janvier, a presqu'un an de plus que moi". Oubliez ça! Et n'oubliez pas ceci: vous n'êtes pas! Ils ne sont pas... NOUS SOMMES! TU es... JE SUIS!..

Quand le vieux élevait la voix, ses bajoues tremblaient comme des drapeaux.

—Regarde autour de toi! Nous sommes et serons les plus fidèles alter ego qu'un homme ait jamais eus!

Le vieux reprit alors une partie du discours qu'il avait tenu plus tôt devant les miroirs.

— Lorsque sa chaise, les adolescents et lui s'évanouirent, Simon tenta de les suivre avec sa "vision". Il éprouva de la difficulté, sa vision ne captait ni les adolescents ni le vieux.

Celui-ci avait expliqué pourquoi il avait choisi ces minutes, ces secondes particulières de leur vie pour les enlever. Il avait choisi 1977 parce que c'était la meilleure année de leur vie. Meilleure santé, etc. Il avait commencé à la dernière seconde de l'année, puis avait remonté celle-ci seconde par seconde. "Les derniers furent les premiers!" avait-il lancé.

Ce qu'il n'expliqua pas, c'est qu'il s'était nanti de jeunes adolescents plus faciles à fanatiser pour constituer sa garde personnelle qui devait le protéger contre des résistances inattendues des "Terriens étrangers", comme il nommait tout être autre qu'un Yourm.

Au bout d'un moment, Simon finit par repérer le vieux qu'une cinquantaine de Yourm regardaient. Il prêchait dans une salle aux murs beiges. Juste comme il disait: "Mais que faire avec toutes ces armées?", la porte principale craqua et une douzaine d'hommes armés pénétrèrent dans la salle.

–F.B.I. ne bougez plus! fit un homme en complet gris.

Une bousculade très compliquée suivit. Le vieux, qui avait semblé s'attendre à cette attaque, disparut. Moins d'une seconde plus tard, des armes commencèrent à s'empiler autour des Yourm. Le vieux allait les chercher quelque part dans le temps puis revenait les déposer aux pieds des adolescents qui les distribuaient vivement. Le vieux aurait pu les apporter avant l'attaque. Mais il voulait mettre ses Yourm à l'épreuve.

Une fusillade suivit. Les Yourm se regardaient en hésitant. Quelques-uns se ruèrent sur les armes et répondirent au tir des agents du F.B.I. qui se replièrent dans le couloir.

La vision de Simon, difficile à maintenir, s'estompa. La dernière chose qu'il perçut fut l'incompréhension qui se reflétait sur la majorité de ces visages qui étaient le sien.

Chapitre 6

Maude Syen était partie le vingt-cinq juillet 2004 d'Oodnadatta, petite municipalité à 500 kilomètres au sud est du Rocher d'Ayers. Femme mûre de 35 ans, elle conduisait sa jeep avec fermeté. Ce n'était pas la première fois qu'elle s'aventurait dans le centre rouge désertique. Elle avait suffisamment de provisions pour un mois.

En six jours, elle avait presque atteint son but: le Rocher d'Ayers qu'elle venait photographier. Elle comptait en faire la page couverture du prochain numéro de sa revue. "Spécial Humeur" en serait le titre. Le rocher, avec ses teintes changeant selon les différents moments de la journée ou les différentes températures, allait représenter les multiples changements d'attitudes des humains face à des situations particulières.

Son magazine s'appelait: "*Le Regard revu*".

C'était une curieuse publication mi-littéraire, mi-politique qui commentait sous forme de vers proverbiaux, d'adages, de maximes, de devises, de préceptes et d'aphorismes de toutes sortes, l'actualité politique régionale. Maude Syen en était la fondatrice et l'éditorialiste en chef. "On y met du Syen", disait-elle.

Ces mots étaient imprimés sous une petite photographie qui permettait à l'éventuel lecteur de se représenter la personnalité de l'éditorialiste du "*Regard revu*". Maude était grande, les cheveux roux, le nez retroussé qui perpétuait un air de jeunesse malgré l'aspect vieillot de son habillement: elle portait des jeans serrés à la base des genoux qui s'évasaient aux jarrets pour aller s'étrangler aux chevilles. Ces jeans étaient passés de mode depuis au moins trois ans. Elle avait le dos droit de celle qui joue longuement de la machine à écrire.

En ce moment, Maude disait ceci:

–Par le sang bleu de Palsembleu, roi tout-puissant de tous les bleus de sang! qu'est-ce qu'elle a, cette foutue machine?

Sa jeep avait pourtant franchi des étangs, des montagnes, des dunes de sable; affronté les grands écarts de température jour/nuit du désert sans jamais lâcher. Et là, maintenant, à quelques kilomètres du Rocher, la panne!

–C'est con comme pot!

Pendant dix bonnes minutes, elle se laissa aller à traiter son engin de tous les noms.

–QUI PERD SA RAGE TROUVE COURAGE, dit-elle finalement en regardant autour d'elle. Malgré son télescope, elle mit une dizaine de minutes à repérer le hangar qui était au nord, nord-ouest.

La journaliste se trouvait en haut d'une colline. Maude la descendit et se mit en marche vers le hangar qu'elle estima être à 15 kilomètres de sa position. Il était dix heures. Le soleil était bien haut dans le ciel. Trop haut. La provision d'eau de sa jeep était contenue dans des réservoirs de dix litres qu'elle ne pouvait pas transporter. Elle dut se contenter de l'unique gourde d'un litre qu'elle possédait. Les deux premières heures, elle s'efforça de conserver un rythme rapide et constant. Elle estima sa vitesse moyenne à 5 kilomètres à l'heure. Mais cette moyenne déclina rapidement sous les coups inexorables du soleil. Elle mit de l'eau dans son Stetson beige et y trempa ses longs cheveux roux. Elle les enroula ensuite en un chignon qu'elle recouvrit d'un chapeau. Malgré la cuisante chaleur qui l'accablait, elle ne suait pas. Sa légère chemise de coton bleu pâle flottait au vent comme l'étendard de la colère solaire. Son humidité s'évaporait avant d'arriver à sa peau. Vers six heures, elle arriva aux pieds d'un petit tertre au delà duquel, à quelques centaines de mètres, devaient se trouver le hangar et les secours espérés. Sa provision d'eau était pratiquement épuisée. Elle n'avait conservé que quelques gorgées de réserve. Elle se hissa sur le tertre d'où elle put apercevoir le hangar, là où elle en avait estimé la position. Elle reconnut ce que c'était en réalité: une vieille station écologique destinée à l'étude de la faune du désert. Elle avala les dernières gouttes d'eau, puis s'écroula de fatigue, la gorge en feu.

Vers cinq heures et demie de ce même après-midi, Simon était sorti prendre une marche et aérer ses méninges. Le discours du vieux l'avait écoeuré. Etait-il possible qu'il devienne comme cela?

La dernière chose que ce fou avait dite était de capturer ou tuer s'il le fallait tout non-Yourm qui serait aperçu dans les environs. Le vieux avait été ferme. La plupart des jeunes adolescents avaient acquiescé. Parmi les Yourm adultes, la majorité semblait ravie. Simon s'en était trouvé atterré. Il y en avait même eu qui étaient immédiatement sortis, espérant visiblement capturer un "Terrien étranger".

Simon escaladait la petite bute aux flancs caillouteux qui bordait le hangar à l'est. Il avait choisi cette direction pour être isolé des autres Yourm, partis à l'ouest.

Lorsqu'il aperçut la silhouette de Maude, Simon ne vit que son dos. Croyant avoir affaire à un Yourm qui faisait la sieste, il s'en retourna en essayant de faire le moins de bruit possible.

A mi-pente, il déplaça inopportunément une grosse roche, ce qui déplut intensément à un death adder, une vipère de la mort, qui s'apprêta alors, avec beaucoup d'aptitude, à lui faire un mauvais parti. Il para la première attaque avec son pied: les crochets s'enfoncèrent dans sa semelle de caoutchouc qu'il entendit grincer.

On ne saura jamais s'il aurait pu éviter une seconde attaque car un lourd roc quartzeux écrabouilla la tête rectangulaire du serpent.

—L'inconnu qui bien fait aura au moins la paix.

Simon leva les yeux vers Maude Syen.

—Merci, tu m'as sauvé la vie, mais j'ai bien peur de ne pas t'apporter la paix.

—Tu peux toujours m'apporter de l'eau.

—Reste là, je monte.

Une fois en haut, ils échangèrent noms et fonctions.

–Maude Syen, éditorialiste et directrice du magazine "*Le Regard revu*".

–Simon Yourm, multiplicateur d'estomacs.

–Sens de l'humour étrange...

Maude ne s'empêcha pas pour autant de rire. Le soleil avait fait ressortir de façon charmante ses taches de rousseur. La douleur que ce rire provoqua dans sa gorge lui rappela sa soif. A peine Simon lui eut-il présenté sa gourde, qu'elle se remplissait la bouche d'une grande goulée.

–Eh! ne bois pas trop vite, tu vas te rendre malade!

–Je... sais... fit-elle entre deux gargouillis.

La tête rejetée en arrière, elle se gargarisait avec l'eau.

–Alors, demanda-t-elle une fois rafraîchie, qu'est-ce que c'est que cette histoire de ne pas m'apporter la paix?

Simon ne savait pas s'il devait se considérer chanceux ou non. Il venait de rencontrer une femme séduisante, sympathique, dynamique et intelligente, bref une personne avec qui il aurait bien aimé faire plus ample connaissance. Et il devait persuader cette personne de croire l'histoire la plus invraisemblable qui soit. Il entreprit néanmoins de lui relater son incroyable récit.

—Incroyable! lui dit Maude. En fait, je ne te crois pas. Evidemment.

—Evidemment... J'ai entendu cette expression trop souvent récemment. Que tu me croies ou non ne change rien! Je ne peux pas te laisser descendre à la station écologique comme tu l'appelles. Tu y laisserais ta peau.

—Ecoute, si je n'y vais pas, je vais aussi y laisser ma peau. Et n'ayant qu'elle et mes os, en ce moment, je n'y tiens pas particulièrement. Je meurs de faim et de fatigue. De toute façon, ça suffit avec tes stupidités. Si tu persistes avec tes inepties, je vais croire que t'es fou comme un fou!

En fait, elle commençait à douter de son honnêteté et, en tant que femme affaiblie et isolée, elle se sentait menacée.

—Chut! Silence!

Ils entendirent des bruits de pas. Une dizaine de personnes gravissaient le tertre. Maude allait se lever pour appeler les nouveaux arrivants. Simon l'attrapa aux jambes et, s'allongeant sur elle, mit sa main sur sa bouche. Maude se débattit, croyant décidément avoir affaire à un désaxé. Toujours la main sur sa bouche, il l'entraîna derrière une roche. Les neuf Yourm atteignirent en même temps le sommet.

—Ouais ben, ça fait trois heures qu'on cherche!

—Trois heures et demie! reprit un Yourm pas rasé.

—Pas un seul Terrien étranger en vue.

—J'aurais bien aimé en rapporter un! dit un quatrième Yourm.

—Ouais, j'aurais bien aimé essayer ce laser sur quelque chose d'autre que des kangourous!

Simon relâcha son étreinte. Maude ne se débattait plus. Elle était pétrifiée.

—Pas mal, en tout cas, l'arme du vieux. Le générateur est plutôt lourd à transporter, mais... quelle puissance!

Le Yourm balaya le petit plateau avec son arme. Les roches fumaient et la poussière s'élevait là où le faisceau passait. Le tracé de l'éclair frôla les pieds de Maude.

—On aura peut-être plus de chance demain...

—Ouais, pour l'instant, il faudrait songer à aller manger. Ça va être l'heure.

Quelques instant plus tard, ne restait plus qu'un faible écho de leurs voix.

—Mais c'est impossible! murmura Maude.

—C'est bien ce que je me suis dit au début.

Simon lui expliqua le projet de conquête du vieux.

—Aussi ingénieux que monstrueux, s'écria Maude.

—Pour l'instant, je n'y peux rien. Mais il faut tenter de l'arrêter. Je vais retourner là-bas pour voir ce que je peux faire. Je t'apporterai du ravitaillement dans une heure. En attendant, tâche de ne pas te faire voir.

Simon revint en jeep une heure plus

tard. Maude s'y cacha sous des couvertures. Puis, empruntant un grand détour, ils se dirigèrent vers le Rocher d'Ayers aux flancs duquel se trouvent quelques cavernes. C'est Maude qui en avait donné l'idée. Aucun Yourm ne connaissait l'existence de ces grottes particulièrement difficiles à repérer. Maude y trouva une petite place bien confortable. A l'ombre en tout cas. Il y coulait même un petit filet d'eau drainée par les milliers de stries balafrant le Rocher et captant l'eau lors des rares mais terribles tempêtes qui s'abattent dans la région.

Chapitre 7

Quelques jours passèrent. Simon venait tous les soirs ravitailler Maude. Le jour, il pratiquait sa "vision". Il la contrôlait de mieux en mieux.

Maintenant qu'il connaissait la plupart des points où étaient les Yourm, il pouvait littéralement se projeter où il voulait sur terre. En regardant par les yeux de ses lui-même dispersés de par le monde, il pouvait apprendre tout ce qui s'y passait.

Il parvint même à lire dans les pensées des Yourm qui se trouvaient à sa proximité. Il fit cette découverte un jour qu'il lisait dans la salle principale du centre écologique. Sa lecture fut interrompue par une vision d'un ordre différent de celles qu'il contrôlait jusqu'à maintenant. Des mots parvinrent à son esprit. Il sursauta lorsqu'il entendit: "Maudit vieux fou!" Il leva les yeux vers la salle. Il tenta de repérer le Yourm auteur de ces pensées. Autour de lui, il n'y avait que des Yourm souriants. Deux Yourm jouaient au ping-pong. D'autres, aux cartes. Il fit appel à sa "vision" pour scruter les autres salles du hangar.

Il découvrit le Yourm blasphémateur. Il était seul dans la grande cuisine. Aux deux extrémités de celle-ci se trouvait un miroir. C'est grâce à celui-ci que Simon l'avait repéré. Il arpentait la pièce, les mains sortant et rentrant dans ses poches. Chaque fois que les mains ressortaient, Simon entendait: "Le fou! le vieux fou!"

Simon se leva et se dirigea vers la cuisine. Au même instant, les deux joueurs de ping-pong terminaient leur partie.

—Allons manger quelque chose!

—Oui, ça m'a creusé moi aussi, cette partie.

Ils entrèrent dans la cuisine quelques secondes avant Simon. Quand celui-ci y arriva, il trouva trois Yourm pareillement habillés. Deux d'entre eux tenaient une pomme à la main. Un troisième ouvrait la porte du réfrigérateur. Il se dirigea vers celui-ci et le prit à part.

—Ecoute, moi aussi, je suis du même avis, je sais ce que tu penses. Il faut nous allier.

L'autre le regarda d'un air bête.

—Si tu as l'intention de former une équipe de ping-pong, c'est à lui que tu devrais en parler.

—Non, non, je t'ai dit que j'ai entendu ce que tu pensais. Je suis d'accord.

—Qu'est-ce que tu racontes?

—Ecoute, je ne peux pas t'expliquer, mais je t'affirme que je peux lire dans tes pensées, enfin, que j'ai lu dans tes pensées... J'ai "entendu" ce que tu disais à propos du vieux.

—Qu'est-ce que j'ai dit?

—Que tu voulais t'en débarrasser!

—T'es fou! Aie les gars, y en a un ici qui dit qu'il faut se débarrasser du vieux!

Simon se précipita vers la porte. L'autre tenta de l'en empêcher.

—Aidez-moi!

Simon lui envoya un coup de poing au-dessus du genou... Les directs aux cuisses et aux bras étaient les seules formes de combat qu'il maîtrisait. Il sortit de la cuisine et ferma la porte. Il courut pour atteindre la salle principale où il se fondit à la multitude des Yourm.

Il s'assit dans un fauteuil sans être remarqué. Les trois Yourm sortirent en courant. Ils passèrent à quelques pas de lui sans le reconnaître, évidemment.

Ce fut une bonne leçon pour Simon. A l'avenir, il lui faudrait être prudent. Il ne trouverait peut-être pas le moyen de se sauver s'il commettait une nouvelle erreur.

Chapitre 8

Le lendemain, le vieux apparut. Tous les Yourm avaient été convoqués par les adolescents. La chaise d'osier arriva à trois heures. Apparut aussi une caisse en métal.

Le vieux y alla d'un nouveau discours. Il se leva devant son trône, alluma un cigare et commença.

–Je reviens d'un peu partout. Comme je te l'ai dit, tu es partout dans le monde. Et j'ai constaté que le léger malaise dû au décalage horaire, si j'ose dire, persistait. Les plus vieux envient les plus jeunes qui ont tant de choses à vivre qu'eux ont déjà expérimentées, les plus jeunes raisonnent tout ça à l'envers... bref, il faut faire quelque chose. Vous vous reconnaissez entre vous à cause des vêtements que vous portez, ou à cause de l'état de ceux-ci.

Il regarda Simon.

—Toi par exemple, tu as le même pantalon que toi, ou toi, mais il est brûlé. Donc tu te crois différent bien que tu saches pertinemment que c'est faux. J'ai résolu le problème.

Le vieux cracha un nuage bleuté. Il donna une pichenette sur la cendre de son cigare qui tomba sur la caisse métallique.

—Dans cette caisse se trouvent des uniformes. Dorénavant, chaque Yourm portera cet uniforme et se rasera. Il vous unifiera, fera tomber ces différences qui vous inhibent. Vous serez ainsi tous égaux et respectés par les Terriens étrangers. C'est bien connu: les gens obéissent plus facilement à un uniforme qu'à un pyjama, par exemple... Il y a aussi des côtés physico-pratiques intéressants: multiples poches, crochets à générateur pour le laser et autres instruments; ils sont imperméables, isolants et ignifuges etc. etc. etc.

Bref, c'est un uniforme à toute épreuve.

Plus le vieux parlait, plus Simon se révoltait. Le vieux voulait leur arracher la dernière parcelle d'identité qu'il leur restait. Simon n'accepterait pas cet abandon! Il se leva, et, retenant sa colère de toutes ses forces, demanda poliment si le port de cet uniforme était vraiment nécessaire.

Toutes les têtes se retournèrent vers lui.

—Il l'est, répondit le vieux.

—Est-il obligatoire?

—Si tu es toi-même et non un traître à ta propre identité, comme un cancer qu'on doit extirper de son corps, oui, il est nécessaire, indispensable, donc obligatoire.

—Et si je refuse?

—La blague est terminée, assieds-toi!

Le vieux avait prononcé ces mots en secouant son cigare pincé entre ses dents jaunies.

—Et si je refuse?

—Dans ce cas, c'est que tu es un cancer, une verrue, une carrie, un cheveu brisé, un verre de contact égratigné! Dans ce cas, on doit te retirer de notre corps magnifique!

–Ça me fait de la peine de t'écouter vieux. Ça me fait de la peine de de réaliser le peu de progrès qu'a effectué la psychiatrie en trente ans. ça me fait saigner le coeur de voir qu'on ne sait, pas plus qu'en mon temps, soigner le délire obsessionnel, la monomanie narcissique et la fêlure des cortex cérébelleux.

–La belle algarade que voilà. Je les ai toujours aimées. Pauvre malheureux dément qui se traite lui-mëme de fou.

–La reconnaissance de sa folie est la voie de la guérison!

–Silence! ça suffit quand même! On va pas y passer tout l'après-midi...

–Pourquoi me tairai-je? On est sensés être tous égaux! cria Simon.

–Emparez-vous de ce cancer débile!

Encore une fois, Simon fut saisi par ses doubles. On l'entraîna hors du hangar. On le fit monter dans un véhicule militaire qui l'amena dans le désert, à une vingtaine de kilomètres de là. Ils l'abandonnèrent sans eau, nourriture ou arme. Avant de le laisser, on lui tatoua un petit x sur le front.

–C'est au cas où tu survivrais, on

reconnaîtra partout le sceau de la traîtrise.

* * *

Simon décida de suivre les traces du camion pour revenir rejoindre Maude Syen au Rocher. Vers sept heures, il tomba, épuisé. Il se traîna à l'ombre d'un rocher. Il était à demi conscient lorsqu'il entendit prononcer son nom. La voix venait du sud, à peut-être 50 mètres.

–Ici! cria-t-il, ici!

Maude accourut. Elle portait une grappe de cinq gourdes qu'elle avait subtilisées à la station en même temps que cinq kilos de mouton séché.

–Comment m'as-tu trouvé?

–Je les ai vus amener un Yourm (si tu me passes l'expression) dans le désert. Ils étaient tous en uniforme sauf lui. Je n'étais pas sûre qu'il s'agissait de toi. Alors je suis allée aux nouvelles près du camp.

–C'était de la folie!

–Non, tout le monde était trop occupé à essayer le nouveau costume. Quelqu'un a parlé du traître qu'on avait emmené dans le désert, se demandant s'il allait survivre longtemps sans provisions... J'ai appris où tu étais. J'ai volé des vivres et de l'équipement, et me voilà. Tiens, mets ça, j'en avais deux avec moi. La température commence déjà à baisser.

Simon enfila la veste en peau de kangourou doublée d'agneline.

–Merci pour tout.

–Tiens, j'ai aussi récupéré ton laser et un générateur.

–Mon Dieu, mais tu dois être épuisée! Avec la bouffe, l'eau et tout ça en plus! dit Simon prenant l'arme et en vérifiant le bon fonctionnement. Tu portais plus de vingt-cinq kilos sur tes épaules.

Maude Syen était effectivement claquée. Ils décidèrent de camper là où ils étaient. Ils déposèrent leurs paquets dans une anfractuosité, hors d'atteinte des petits rongeurs du désert.

–Dormons maintenant, à chaque jour suffit sa peine.

–Oui, Maude. On verra bien assez tôt ce qu'il conviendra de faire demain.

* * *

Lorsqu'au petit matin Maude se leva, elle était seule. Simon n'était pas là. Sa première réaction, lorsqu'elle vit son visage dépassant d'un rocher 3 mètres plus loin, fut de lui dire bonjour.

La face lui sourit et dit:

—J'attendais que tu te réveilles.

—Tu aurais dû me réveiller: renard qui dort la matinée n'a pas langue emplumée.

L'autre sourit:

—Je n'aime pas déranger les derniers rêves de mes victimes! T'es quoi?

C'est à ce moment que Maude remarqua le laser que pointait vers elle la main qui dépassait de la masse granitique.

—Mais qu'est ce que tu fais?

—Je voulais voir la terreur dans tes yeux avant de te brûler le coeur.

—Mais tu dois être en train de rêver toi-même! Tu as perdu la raison!

Le Yourm partit d'un long rire. Il enleva le cran de sûreté de son arme et mira Maude. Un mince rayon lumineux traversa l'air et fit s'élever des éclats de roc.

—Sauve-toi Maude! Je le tiens en joue.

Simon revenait d'aller se détendre la

vessie. Il avait surpris ce lui-même juste au moment où il allait tuer la journaliste.

Ils entendirent le bruit d'une jeep et virent le Yourm qui partait. Il portait sur son épaule un appareil photo.

—Toi! cria-t-il. L'étrangère! Où que tu ailles, ta tête sera mise à prix! Tu n'as eu qu'un sursis!

Simon tenta d'arrêter la jeep avec le laser. Mais celle-ci venait de franchir une dune.

—On ferait mieux de foutre le camp d'ici!

—Où peut-on aller?

—Restons ici. Ils ne penseront jamais que nous sommes demeurés à la même place.

—C'est fort probable qu'ils y pensent puisque c'est toi qui viens d'en avoir l'idée et qu'ils sont toi.

—Alors?

—Moi je suggère que nous retournions au Rocher. Comme dirait Ramuz, il ne faut pas fuir excentriquement, il faut fuir concentriquement!

Chapitre 9

La grotte où ils se cachaient n'était guère spacieuse: environ 10 mètres de profondeur sur une dizaine de largeur et un plafond de 2 mètres au maximum. Le plafond et les murs étaient hérissés de dents et de griffes dont il fallait se méfier. L'érosion avait sculpté ces curieuses arêtes de quartz au cours des millénaires. Elles donnaient à leur refuge l'apparence d'une mâchoire de prédateur.

Des heures durant, ils restaient à l'ombre et au frais. Manière de parler, même à l'ombre, la chaleur était insoutenable. Mais c'était déjà moins cruel que de s'offrir en friture.

Simon s'allongeait en fermant les yeux et pratiquait sa "vision", ses visions, puisqu'il qualifiait du même nom les pensées télépathiques qu'il recevait.

Il contrôlait maintenant parfaitement sa première vision. A l'exception du vieux et des adolescents, il pouvait littéralement se projeter dans l'espace partout où se trouvait un Yourm.

– C'est formidable. Je viens de visiter Amsterdam! C'est fantastique! Tous ces gens! Et ces superbes maisons en hauteur... Il faut absolument que j'y aille un de ces jours.

–Mais tu viens de dire que tu es allé...

–Enfin, tu sais bien, c'est pas la même chose. Tu touches pas, tu vas pas où tu veux. T'as finalement pas la même appréciation.

–Mais, je ne comprends pas, c'est toi-même! Vos perceptions devraient être les mêmes!

–C'est pas une possession qui s'opère quand je communique. C'est plutôt comme si je voyais par leurs yeux, comme si je m'étais fait tout petit et que, bien installé sur leurs glandes lacrymales, je regardais autour de moi. Mais je ne peux pas bouger de ces yeux ou de ces têtes. Pas plus que je ne peux les entraîner à se tourner d'un côté ou de l'autre.

—Et quand tu lis dans leurs pensées?

—C'est un peu comme s'ils murmuraient leurs pensées et que je les entendais. Je me demande souvent si je suis le seul à posséder ce don. Je vais bientôt pouvoir le vérifier.

—Comme le dit le dicton: ne vous tracassez pas de ce que les gens pensent de vous, car ils ne pensent pas à vous, mais se demandent ce que vous pensez d'eux.

A chaque jour, ils épuisaient rapidement une petite nappe d'eau qu'alimentait un mince filet. L'eau prenait douze heures à s'accumuler et six à être bue. Tous les soirs, au risque d'être découverts, ils devaient se ravitailler à la station. Cela ne pouvait plus durer. Ils mirent au point un plan pour s'emparer d'un véhicule. Ils devaient pour cela attendre encore quelques jours. Entre-temps, Simon pratiquait encore ses dons.

–C'est fascinant. Je commence maintenant à pénétrer leurs pensées non verbales. J'arrive même à faire des moyennes de groupe.

–Des moyennes de groupe?

–Des clivages importants s'effectuent au sein de la société yourmesque. Jusqu'à maintenant, j'ai repéré des Yourm fascistes, et des Yourm soumis, moutons, suiveux, fascites récepteurs, enfin, ce que tu veux.

–Mais qu'est-ce que c'est que cette histoire de moyennes?

–J'arrive à LOCALISER DES GROUPES. Par exemple, à la station, au hangar, je "sens" ou "vois" qu'ils sont en majorité fascistes. J'ai pas besoin de les scruter un à un.

–Pratique...

Simon se leva et se mit à arpenter la caverne.

–C'est extraordinaire, on dirait que chaque pensée qui animait mes minutes-moi à chaque seconde de 1977 se sont développées ici en 2004.

—Là où la chèvre est liée, il faut bien qu'elle broute.

—Ce que je veux dire c'est que chacune de ces minutes-moi a commencé à penser différemment. C'est comme si un deuxième système philosophique se bâtissait sur le premier. Celui-ci découlait de l'expérience accumulée au long de ma vie, le second aurait pour base la pensée qui obsédait mon esprit à la seconde précise où un tel ou tel moi-même a été amené ici. Et, ce qui est encore plus curieux, c'est qu'ils tendent à se regrouper.

—Ces regroupements doivent se faire principalement autour des fascistes.

—Exactement. Les fascistes qui ordonnent et ceux qui aiment obéir.

—Aussi, j'imagine, les lâches qui n'osent pas réagir et veulent être du côté du plus fort.

—Voilà... La belle opinion que t'as de moi!...

—La faiblesse est à l'humain ce que la faim est à l'estomac de poulet: chronique. Seulement la réaction du poulet est toujours la même: manger; celle de l'humain varie considérablement.

–Et de qui est cet aphorisme?

–Oh, je ne sais plus, peut-être de moi...

–Chut! attends! Il faut que je me concentre... J'ai entrevu quelque chose d'intéressant!

Chapitre 10

Simon ferma les yeux pendant près d'une heure. Maude, durant ce temps-là, se serait presque poli les ongles d'impatience. Elle profita de la transe méditative de son compagnon pour examiner son visage. Maude aurait voulu découvrir ce qui le différenciait des autres Yourm. Les fascistes qu'elle avait observés jusqu'à présent avaient le visage tendu. Celui de Simon possédait une grande souplesse. "C'est curieux, pensa-t-elle, comme un si beau et si noble visage puisse parfois prendre un aspect si terrifiant."

Simon sortit enfin de sa "méditation".

Il lui raconta ce qui s'était passé à l'autre bout du monde, à Washington D.C.

"–Environ trente Yourm fascistes et dix adolescents ont été convoqués à Montréal, au quartier général du vieux. En fait, le vieux est venu les chercher d'un peu partout. Il préfère dire "convocation" parce que le mot contient aussi "liberté" (de refuser). Comme si l'on pouvait... Dans la grande salle aux miroirs, ils ont étudié des cartes et des plans. Les cartes géographiques dataient de 1768. C'était des cartes détaillées du district de Columbia. Le vieux, assis dans le coin de la salle, ne les regardait même pas. Il parlait à sa réflexion dans les miroirs où son image se mêlait avec celle de sa jeunesse. "Vous voyez, qu'il disait, on peut retracer l'emplacement exact de la maison blanche et de la demeure du président actuel des E.U. Si, maintenant, nous regardons de plus près les plans, nous pouvons même retrouver la chambre à coucher du président. C'est là que nous allons!" Ils se sont alors projetés dans le passé, en 1768, à l'époque où rien n'avait été bâti. Ils se sont arrêtés pour pique-niquer avant l'attaque. Un des Yourm semblait mal à l'aise et ne mangeait presque rien. Ce moi-même avait une coupure au menton, celle que je me suis faite en escaladant le monticule de ferraille en allant à la banque. Son pantalon n'était pas roussi par contre, ce qui le différenciait assez bien. C'était le Yourm le plus près de moi que j'aie vu jusqu'à présent. La bande repartit bien vite et se retrouva tout autour du lit présidentiel. Le président y dormait à poings fermés aux côtés de sa femme. "Hey! debout les tourtereaux! ça fait assez longtemps que j'attends ça! Voir votre binette en direct." Pendant quelques instants, le président n'y crut pas. Il se redressa contre la tête du lit, le corps raidi de terreur. Il se colla contre sa femme tout aussi apeurée. "Que, qui... qui êtes-vous? bredouilla-t-il. Que faites-vous ici? Comment êtes-vous entrés?"

—Bon, ben, il est pas mal... reprit le vieux. N'est-ce pas qu'il est pas mal, hein, les gars? qu'il fit en se tournant vers les Yourm."

"Le Yourm à la coupure au menton

avait l'air dégoûté.

—Bon, ben, c'est pas tout ça... on est venu pour s'en débarrasser...

—Quoi? s'étouffa le Yourm coupé

—Tu pensais tout de même pas qu'on était simplement venu leur dire bonjour...

—Je ne sais pas, je croyais...

—C'est pas possible! Des fois, je me surprends! C'est pas permis d'être naïf comme ça.

"Il se tourna vers les autres.

—Vous aviez compris vous autres?

—Evidemment! firent trente-huit voix.

"Rodrig Frokin et Anna Cham regardaient pétrifiés ces quarante personnes au visage unique qui discutaient de leur sort comme s'il s'agissait de choisir la couleur d'un lavabo.

—Bien, toi qui as parlé, c'est toi qui vas t'en charger. Pourquoi penses-tu que vous ayez un laser? Il faut savoir vous en servir.

—Il n'en est pas question. Je ne suis pas un juge. Encore moins un assassin.

—Allons, allons, ne sois pas ridicule. Je ne viendrai pas te dire de combien de morts celui-ci a été responsable au cours de sa vie.

—Qu'il soit jugé!

—On n'a pas le temps. Et puis tu me pourris le système nerveux à la fin!

"Le visage du vieux se crispa.

—Cancer! cria-t-il, guéris ou on te détruit!

"Le vieux se tourna vers les adolescents et leur fit un signe de tête. Le Yourm marqué au front sortit son laser presqu'en même temps qu'eux. Une fraction de seconde trop tard. Il fut atteint en plein cœur. Il vacilla en arrière avec son doigt crispé sur la détente. Le faisceau de son arme décrivit une courbe qui manqua de peu le vieux mais alla couper les trachées-artères du couple présidentiel."

* * *

—Eh bien, eh bien... dit Maude à Simon qui avait l'air complètement accablé. T'en fais donc pas. C'est vrai que Frokin n'était pas un agneau pour ses adversaires. Et comme c'était un xénophobe consommé...

Moi, je me disais toujours, en l'entendant débiter ses stupidités à la télé: "Cause toujours qui meurt toujours."

—C'est pas tellement sa mort qui me trouble que les circonstances qui l'ont provoquée! Et ma propre mort à moi.

—Je sais bien... Je parlais pour te distraire.

Le lendemain, ils devaient mettre à exécution la première partie de leur plan: rassembler des réserves d'essence, d'eau et de vivres. Ils s'installèrent donc très tôt pour dormir. Au beau milieu de l'aube, Simon connut la mort pour la première fois.

Chapitre 11

Il s'était réveillé vers cinq heures. La pluie tombait à torrent et à travers tout l'horizon, comme il arrive parfois dans les déserts rouges de l'Australie.

La mince nappe, nourrie les jours passés d'un mince filet d'eau, grossissait à vue d'oeil, alimentée de cascatelles formées par l'orage. Le régulier mouvement de croissance de la nappe en faisait une clepsydre qui, vaguelette après vaguelette, poussait Simon plus loin dans sa méditation amorcée avec l'orage.

Sa vision concernait une soixantaine de Yourm. Ils se trouvaient dans une immense caverne. Par l'un d'eux, il voyait un lac sur lequel on poussait un grand radeau. Les Yourm y embarquèrent et se dirigèrent sur la petite île qui trônait au centre du lac.

L'eau, près de Simon, avança d'un millimètre; d'un coup, comme une coupe qui déborde. Il entendit alors quelques pensées verbales qu'émettait l'hôte Yourm. Celui-ci était tout excité.

Quelle aventure! pénétrer dans une base de missiles! (...)

—Ah! zut! me voilà les pieds mouillés (...) Bon, on arrive enfin! Cette idée de nous faire travailler alors que le vieux pourrait nous y transporter en un clin d'oeil avec sa machine! Il doit avoir ses raisons, il est pas fou. Je ne suis pas fou!

La nappe avait grandi d'un autre millimètre lorsque leur voyage temporel débuta. Cette fois, Simon sentit l'excitation du Yourm. Lui-même, assis dans sa minuscule grotte, se sentait empli d'enthousiasme. Et l'eau montait toujours. Il vit les parois de la caverne qui s'embrouillaient, les soixante Yourm demeuraient clairs.

Soudain des lumières se mirent à clignoter rapidement: on arrivait! Le mouvement des lampes ralentit. Les parois rugueuses de la caverne avaient cédé la place au béton et à l'acier. Ils se trouvaient dans la salle de commandes de la base de missiles souterraine.

Au millimètre d'eau suivant, Simon se trouva propulsé dans le corps du Yourm. Il sentit les battements de son coeur se dédoubler. Sur ses doigts, la crosse du laser et sa gachette exerçaient une froide pression. Il sentit également le poids du générateur sur son dos. Ses pieds étaient mouillés. Simon éprouvait un urgent besoin d'action. Et il savait exactement ce qu'il devait faire. Ils ouvrirent le feu dès que leurs corps furent matérialisés. Les gardes et les techniciens, pris de panique, mirent du temps à réagir. Voyant ces hommes tomber, le coeur ou les poumons embrasés, Simon fut empli d'une joie incontrôlable qui ne lui appartenait pas et qui le dégoûtait.

Il balayait encore la salle de son laser lorsqu'un des soldats agonisant le mit en joue. Il l'aperçut trop tard, le projectile d'acier était déjà en route. Simon le sentit traverser l'uniforme de Yourm. Il sentit les cellules de sa peau s'écraser pour laisser place à cet intrus métallique qui poussait pour entrer. Une de ses côtes craqua, criant une flamme rouge à son cerveau. Le sang se mit à sortir de son coeur et de son corps, comme gêné par la présence du petit bout de métal. Simon sentit sa tête éclater contre le sol de béton. Puis, plus rien. Le noir total. Une grande paix envahit son âme en même temps qu'une tiède humidité enveloppait ses jambes croisées.

La nappe d'eau grandissait maintenant sous celles-ci. Simon réentendit son coeur battre, sentit son sang recirculer; l'air à nouveau nourrit son cerveau. Il se rendit compte que, durant un bref instant, son propre corps avait cessé de vivre. La clepsydre l'avait sauvé.

Chapitre 12

Simon croyait devenir fou de frustration. Il fallait arrêter le vieux au plus vite. Il faudrait quitter l'Australie pour l'Europe où le vieux se manifestait plus souvent. Cela n'allait pas être facile. Le vieux tenait maintenant le monde entier sous sa férule.

Leur plan était fort simple. Simon devait récupérer la jeep de sa compagne qui avait été réparée et dont Maude détenait encore une copie des clefs. Simon attendrait qu'une autre tempête se déchaîne. Cela lui permettrait de dissimuler sa marque au front sous un chapeau, sans attirer l'attention.

Depuis quelques jours, Maude et Simon avaient accumulé des réserves d'eau, d'essence et de nourriture. Simon s'était aussi procuré un uniforme.

Le jour vint enfin! Le trois septembre, une forte tempête s'abattit sur le Rocher d'Ayers.

L'eau qui dégoulinait du Stetson de Simon formait des barreaux qui entouraient son visage pendant qu'il descendait vers la station. Il se dirigea rapidement vers le petit bâtiment qui servait de garage. Lorsqu'il ouvrit la porte, il se trouva nez à nez avec trois Yourm. Il figea raide.

—Qu'est ce qu'il y a? Tu te sens mal? lui demanda l'un d'eux.

—Non, c'est rien, je ne m'habituerai jamais, je crois. Je veux dire... de me voir comme ça partout. C'est comme... tu te rappelles, la première semaine après que l'on ait acheté le grand miroir du couloir. On sautait toujours en allumant la lumière le soir.

—Hum... répondirent-ils, sceptiques.

—Tu as bien un drôle de chapeau, reprit

un des Yourm.

Simon reçut comme une claque en plein visage, une bouffée de chaleur. Il venait juste d'apercevoir le bonnet de marin en vinyle qui s'assortissait avec le reste de l'uniforme. Il ne l'avait jamais remarqué jusqu'à présent. Imbécile!

—Oh, je l'ai trouvé là-bas près de cette colline. (Ce qui était vrai, le chapeau étant celui de Maude)

—On peut le voir? firent-ils suspicieusement.

—Tout à l'heure, il faut que j'y aille maintenant...

Simon sauta derrière le premier tout-terrain lorsqu'il entendit le bruit caractéristique du laser qu'on sort de sa gaine.

—Arrête! montre-nous ton sale front!

—Toi, va par là! Toi, par ce côté!

Ils voulaient le cerner. Simon se glissa sous le tout-terrain et sortit son laser. Il brûla les jambes de deux des Yourm qui tombèrent au sol. Il s'empressa de détruire leurs armes. Le troisième était masqué par une roue. Il se concentra pour en avoir une "vision". Le Yourm venait de monter sur le véhicule. Simon voyait ce que l'autre voyait: le volant et le tableau de bord. Puis le regard du Yourm frappa le sol. Simon pointa son arme vers ses pieds où la tête du Yourm allait bientôt apparaître. Il continuait de se voir par les yeux de l'autre. Lorsqu'il vit sa tête sous la jeep, il tira. Ce fut son premier suicide.

Il repéra la jeep de Maude, mit le contact et sortit du garage à toute vitesse. Personne ne le remarqua. Il amena avec lui les deux Yourm blessés ainsi que le cadavre. Il les laissa dans la petite grotte avec des vivres. Ils ne pourraient retourner immédiatement à la station écologique, cela donnait à Maude et Simon quelques jours d'avance.

Ils étaient à 2 000 kilomètres de Sydney, 1 800 de Melbourne et 1 500 d'Albany. Ils choisirent Melbourne. Ville assez grande où ils seraient moins facilement repérés et plus rapprochée de Sydney, qui serait de toute façon plus surveillée.

Au bout de trois jours, ils changèrent leur plan lorsqu'ils croisèrent une ligne de chemin de fer qui reliait Adelaide et Melbourne. Simon avait "vu" qu'ils étaient recherchés. De plus, la veille, un avion de reconnaissance les avait survolés.

Ils fabriquèrent une bombe à retardement qu'ils installèrent dans la jeep. Ils bloquèrent le volant de celle-ci et l'envoyèrent vers l'ouest, vers Canberra. La jeep devait normalement effectuer 220 kilomètres avant d'exploser. Leurs poursuivants ne pourraient savoir quand ils avaient abandonné le véhicule.

Ils attendirent le passage d'un train près d'un pont traversant la rivière Murray. C'était un train de marchandises à conteneurs. Lorsqu'il ralentit suffisamment, ils sautèrent entre deux wagons.

Le voyage dura sept heures. La chaleur était insoutenable. C'est avec joie qu'ils sentirent approcher la mer dont la fraîcheur les revigora.

Ils arrivèrent en gare en plein milieu de l'après-midi. Ils attendirent le soir pour sortir. Vers six heures, alors qu'ils s'apprêtaient à ouvrir la porte, ils entendirent du bruit tout proche. Un ouvrier posait des chaînes aux crochets des conteneurs. Au passage, il ferma et verrouilla le leur.

Simon attendit que l'ouvrier s'éloigne puis ajusta son laser de façon à en faire un luminaire. Ils virent très vite qu'il était impossible d'ouvrir la porte de l'intérieur. Ils attendirent donc patiemment. Quelques heures plus tard, ils se sentirent soulevés puis redéposés. Où? ils le réalisèrent assez vite. Le ronflement facilement reconnaissable d'un aéroglisseur haute-mer leur apprit qu'ils quittaient Melbourne. Ils sortirent bientôt du détroit de Bass pour entrer dans l'océan Pacifique.

Chapitre 13

Le voyage dura quelque six ou sept jours. Heureusement, leur "prison" renfermait une foule de fruits en conserve. Il y avait des "cape gooseberry", genre de cerises baignant dans un sirop épais; des litchis, des jamboses, une variété de prunes; des bouteilles de jus de fruits de la passion; des boîtes de biscuits aromatisés à l'acacia ou au bilva; des prunes du syderoxylon etc. A l'avant du conteneur, il y avait même un compartiment réfrigéré.

–Si on avait su avant, dit Maude. L'ignorance est la mère des souffrances et le père des offenses.

Dans ce compartiment, ils trouvèrent des guandong dont le noyau offre une noix riche en protéines. Il y avait aussi des grenadines et des mangoustes au goût incomparable qui rappelle l'orange, l'ananas et l'abricot. Bref, ils connurent un séjour confortable.

A l'arrivée, leur conteneur fut déchargé puis installé sur une remorque. Quinze minutes plus tard, ils entendirent la fanfare de la circulation urbaine se rapprocher. Ils entraient dans un centre important.

Au bout d'un moment, ils se mirent à taper contre la cloison du conteneur. Le conducteur s'arrêta pour voir ce qui se passait. Il n'eut même pas le temps de réaliser ce qui lui arrivait. Simon et Maude le ligotèrent puis s'éloignèrent rapidement du poids lourd sans se faire remarquer.

Le premier nom de rue qu'ils déchiffrèrent fut: Thorbeckplein.

—Ce doit être une ville allemande.

—Je ne crois pas, fit Simon.

Ils marchèrent jusqu'à la rue Reguliersdwarsstroat. A l'intersection des deux rues s'élevait une statue de Rembrandt.

—On doit être à Amsterdam, dit Maude.

—Oui! C'est ça! je me rappelle maintenant. J'y suis venu en vision! Tiens, allons par là...

Ils longèrent d'étroites rues bordées d'antiques maisons d'une minceur à rendre claustrophobe un New-yorkais. En cloche, en gradin, à corniche, à goulot incurvé, etc. Bref, ils étaient à Amsterdam. Partout dans les rues, une foule compacte marchait. Au passage de Simon, les gens s'écartaient, intimidés. Ils longèrent le Kloveniersburgwal, un des canaux qui parcourent la ville.

—Mais où allons-nous?

—A l'hôtel. Je me souviens d'un hôtel que les Yourm ont visité et qu'ils ont trouvé trop minable. Nous allons nous y installer.

Comme ils pénétraient dans l'hôtel, le "In Casteel Van Malaga", ils aperçurent une escouade d'une trentaine de Yourm qui passaient en bicyclette sur la Zeedijk. Tout le monde, quoiqu'intimidé, semblait s'être habitué aux nouveaux maîtres, aux nouveaux envahisseurs. Personne ou presque ne les regardait passer.

En quelques minutes, ils se trouvèrent installés dans une chambre effectivement fort minable.

—Ecoute Maude, il faut que tu m'attendes ici, je dois partir pour l'après midi.

—Où vas-tu?

—Aux quais inférieurs, les oosterdock.

— Qu'est-ce que tu vas faire là?

—Tu verras.

* * *

Simon monta la Prins Hendrikkade et entra dans une boutique de tatouage.

—Bonjour, M'sieur Yourm! lui dit le maître tatoueur.

"Evidemment... se dit Simon, on a tous le même nom".

—C'est pour faire disparaître la petite marque que vous avez au front?

Simon le regarda avec un air qui voulait dire: "Comment diable sait-il pourquoi je suis venu? Serais-je tombé dans un piège?" Il s'efforça de sourire.

—Comment avez-vous deviné?

–Ce n'est pas la première fois que Monsieur Yourm fait appel à mes services, répondit l'autre avec un sourire en coin.

–Ah!... Ah! oui, j'oubliais... et... quand est venu le dernier M. Yourm?

Le tatoueur le regarda, toujours avec le sourire en coin.

–Il y a quelques minutes seulement.

–Ce sera long, votre travail?

–Je ferai le plus rapidement possible.

Sitôt l'opération terminée, Simon se précipita au dehors. Le tatoueur sortit de la boutique et lui lança:

–Bonne chance! Pour tout...

Pendant que le tatoueur brûlait la matière colorante sous son épiderme, Simon s'était concentré ou avait localisé le Yourm qui sortait de la boutique du maître tatoueur. Il était assis sur les marches d'une église non loin. Simon le rejoignit en cinq minutes. Lorsqu'il approcha le Yourm, celui-ci massait son front encore sensible. Il n'y avait pas d'erreur possible cette fois.

Chapitre 14

Lorsque Simon et son nouvel alter ego arrivèrent à l'hôtel, ils trouvèrent la chambre vide. Maude était partie.

–Avec qui est-elle partie? demanda Simon au maître d'hôtel du haut de l'escalier circulaire.

–Mais... avec M. Yourm, évidemment.

L'indifférence sarcastique de ces gens finissait par l'énerver. On les avait sûrement repérés. Ils étaient venus enlever Maude. Celle-ci avait suivi docilement le Yourm, pensant qu'il s'agissait de Simon. Simon eut un petit pincement au coeur en pensant que Maude n'avait pas su le reconnaître.

–Si ta compagne s'est fait enlever, c'est que l'hôtel est surveillé. Vaut mieux pas laisser pourrir notre sang ici. Si on y regarde de trop près, notre "démaquillage" ne bernera personne. La cicatrice est encore trop visible. Tatoué au front comme du bétail, stigmatisé comme Caïn, je te jure... le vieux n'aura jamais manqué une occasion pour me marquer. Simon regarda son compagnon de biais.

–Eh, vous là-haut, descendez un peu ici!

Un adolescent yourm à l'uniforme légèrement plus foncé, caractéristique de leur groupe, venait d'entrer dans le hall.

–Sois poli envers tes aînés! lui dit le Yourm à côté de Simon.

–Quoi!

L'adolescent faillit s'étouffer.

–C'est ainsi que tu parles à un membre de la garde suprême?

–Garde suprême? demanda Simon. Je pensais qu'on était tous égaux devant le vieux. Un seul chef pour un seul chef, a dit le vieux, nous emplissant le cerveau de son humour sénile. Même si c'était pour rire, l'esprit était là, si j'ose dire.

Son compagnon le tira par la manche

pour l'éloigner de l'escalier, il résista.

–Tu me parais assez ignorant de la politique mondiale. D'où sors-tu?

–De ma chambre. Où je m'en retourne d'ailleurs. ça me donne la nausée d'être confronté à mes complexes de jeunesse. Bien le bonsoir à vot'monde...

–Attends, je t'ordonne de descendre ici!

Simon lui fit un pied de nez enfantin avec sa main droite. L'autre Yourm le tira pour de bon.

–Sacrilège! Cancer! Cancer! cria le jeune Yourm qui sortit de sa poche un objet ovale qu'il décapita.

–Par ici, cria le Yourm/compagnon. On a cinq secondes.

La fenêtre du deuxième donnant sur les eaux du canal était grande ouverte. Enfin sur les eaux... il y avait toujours la rue à franchir. Le Yourm sauta le premier. Simon hésitait. Il ne sauta que lorsqu'il entendit, d'une part, l'eau être fendue devant lui, et d'autre part, un déclic derrière lui. Il détendit ses jambes se propulsant ainsi dans les airs. Il fut presque retenu par une sorte d'appel d'air derrière lui. C'était comme si un titanesque aspirateur essayait de l'avaler. Suspendu dans le vide, il sentit la peau de ses talons se dessécher, le sang y bouillir. Il ouvrit les bras comme pour planer, puis tomba dans l'eau après avoir frôlé le garde-fou. Pour les rattraper, l'adolescent allait devoir faire le tour du pâté. Simon n'avait plus d'arme. Son laser était resté dans la chambre. Ils remontèrent sur la chaussée en s'aidant d'une bicyclette qui traînait à moitié dans l'eau.

—C'est pas aujourd'hui que le vieux aura ma peau. T'as eu celle de ma mère salaud, mais t'auras pas la mienne.

Simon n'osa rien dire mais il sonda son compagnon plus à fond à l'aide de sa vision. Il réalisa que le système psychologique du Yourm s'était développé à partir d'une rancune passagère contre son père qui revenait de temps en temps l'assaillir. Toute la nouvelle personnalité de ce Yourm était bâtie sur cette rancune. Le vieux Yourm représentait ce père abhorré. Il voulait tuer le vieux pour se libérer.

Simon se sentait désemparé comme un compositeur de symphonie qui verrait chacun des thèmes de ses mouvements sortir de l'oeuvre et se transformer selon un nouveau leitmotiv, se moduler en des tonalités différentes et sauter d'une instrumentation à une autre, le tout durant une représentation à guichets fermés.

–Qu'est-ce que c'est que ce truc qu'il a lancé?

–Une autre des inventions du vieux! ça aspire tout l'air dans un rayon de 5 mètres!

Juste à dire "le vieux", le Yourm entrait en transes.

–Je le tuerai, je le tuerai! répétait le parricide.

Simon réalisa à quel point il avait besoin de Maude Syen. Celle-ci servait de miroir objectif à sa propre personnalité. Par elle, il pouvait se rattacher à l'idée que SA personne n'était pas éclatée. Il était Simon Yourm d'où toutes ces démentes excroissances rayonnaient. Maude l'aidait dans sa recherche de la seconde perdue. Car s'il retirait jamais quelque chose dans cette aventure, ce serait une nouvelle connaissance de lui-même. La présence de Maude à ses côtés lui criait que le tout est plus que la somme des parties. Sans Maude, il se sentait éparpillé, évaporé, dilué. Il était aussi trop tard pour établir le contact avec un autre Terrien étranger: personne ne ferait plus confiance à un Yourm. De toute façon, aucun autre Terrien étranger ne serait Maude.

Dès qu'ils se furent arrêtés, il entra en méditation. Il parcourut d'innombrables cités et campagnes. Il balaya de sa vision des pays entiers. Il finit par la localiser à bord d'un train qui quittait Chicago pour Las Vegas, enchaînée et entourée de fascistes.

—Nous partons pour la Californie! dit-il au Yourm parricide.

—Et pourquoi donc, s'il vous plaît?

—Le vieux s'y trouve.

Le parricide ne se le fit pas répéter deux fois.

Pendant que Simon et le Yourm se glissaient à bord d'un vieux Concorde démodé, Maude Syen, dans le train, essayait de comprendre ce qui lui arrivait.

A peine une demi-heure après son départ, Simon était revenu.

—Ah! c'est formidable! s'était-elle exclamée. Chez les tatoueurs! Tu es allé chez les tatoueurs!

Simon s'était contenté de sourire sardoniquement en sortant une photographie de Maude prise dans le désert. Elle réalisa alors qu'elle venait de commettre la même erreur que là-bas. Lorsqu'elle vit le laser se lever, elle pensa que sa dernière heure était venue. Elle ne pouvait plus s'échapper.

—Suis-moi! Ta capture va me rapporter gros. Le vieux est impatient de t'interroger. Il veut en savoir plus long sur ce cancer qui s'est lié d'amité avec la pauvre étrangère que tu es. Il sera heureux d'apprendre, avant de te tuer de ses mains, comment vous vous êtes échappés d'Australie.

—Que veut le roi se veut la loi. Mais à chaque cour son traître...

—Arrête de dire des conneries, et avance!

—Douce parole n'écorche langue.

—Tu es chanceuse qu'on nous ait donné l'ordre de ne pas t'esquinter! Mais tu perds rien pour attendre. T'attendras pas trop d'ailleurs.

–La patience est l'art d'espérer.

–Ta gueule!

Ces dernières images s'estompaient pour Simon, assoupi à bord du super-sonique. D'autres visions vinrent l'empêcher de se faire trop de mauvais sang pour son amie. Un Yourm parlait devant une caméra. Il portait une postiche crépue, roux clair qui faisait penser à une crinière plus qu'à des cheveux. Il portait des mitaines de cuir pâle auxquelles il avait ajouté de longues griffes. Une queue d'un mètre, terminée par un bouquet de poils roux traînait au sol. Une moustache de félin lui avait été collée sous le nez.

Simon devina tout de suite de quoi il s'agissait. C'était au mois de janvier, la fenêtre de sa chambre avait été oubliée grande ouverte. Il s'était mis à rêver des chauds pays d'Afrique. Les blonds cheveux de la savane brûlante se frottaient sans électricité statique à sa crinière onirique. Il incarnait le roi des animaux. Son rêve de puissance avait vite tourné au cauchemar lorsqu'un cobra s'était lové à moins d'un mètre devant lui. La tête applatie du serpent avait piqué vers sa patte droite et l'avait mordu. Il avait probablement été enlevé par le vieux, juste à ce moment-là. Il avait dû se réveiller en Afrique. Mais voyant autour de lui des centaines de visages de lui-même, il avait probablement cru être encore dans son rêve. Ne pouvant accepter que cette réalité puisse être vraie, il avait continué son cauchemar.

–Je m'adresse à tous les serpents d'Afrique! déclara-t-il avec une impétuosité et une grandeur toute léonine. VOUS, funeste avarie de la nature! continua-t-il tout en marchant.

Derrière lui, cachées par des lianes et des fougères, s'ouvrirent deux grandes portes d'acier épaisses de 60 centimètres. Les portes d'un Centre de missiles atomiques.

–Exécrable animal rampant de honte! Tu as dix minutes pour te rendre. C'est-à-dire détruire tous tes oeufs puis planter tes ignobles et pervers crochets dans ta gueule abominable et empoisonner ton hideuse carcasse! Sans quoi...

La lycantrope passait maintenant les portes qui se refermèrent derrière lui avec un bruit puissant.

—Sans quoi je fais sauter mon royaume que vous pourrissez.

—Le vieux va intervenir! se dit Simon. C'est pas possible, il ne va pas laisser sauter l'Afrique.

—Q'est-ce que tu dis? demanda le parricide, assis à ses côtés.

—Un fou veut faire sauter l'Afrique! Et le vieux va le laisser faire!

—Ce serait bien son genre!

—Il est peut-être pas au courant. Il faut l'avertir!

—Tu trahirais ainsi ton pouvoir.

—Et puis! Il s'agit de la vie de millions de personnes, merde!

Simon retomba, comme assommé, au fond de sa chaise.

—ça vient de sauter... Toute l'Afrique, les missiles viennent d'exploser. Il faut faire cesser ça! Il faut s'emparer de la chaise!

–Chut! on pourrait nous entendre...

L'avertissement venait trop tard. Un Yourm de la rangée d'à côté se leva et se dirigea vers eux.

–Excusez mon indiscrétion, mais j'ai malgré moi entendu ce que vous disiez...

–Oh, nous plaisantaient, plaisantiez, plaisantions! Bref, on disait n'importe quoi... dit le parricide, pris de court.

–Ça m'étonnerait, répliqua l'autre. On ne plaisante pas à la légère là-dessus par les temps qui courent.

–Si, si, je t'assure...

–Arrête, dit Simon, on peut lui dire... lui aussi cherche à s'emparer de la chaise. Je viens de le "voir".

–Quels sont vos plans?

–Nous allons d'abord à New-York, puis de là, nous prenons le train rapide pour la Californie où se rend aussi le vieux.

–Comment sais-tu qu'il s'y rend?

–Ce serait trop long à t'expliquer, répondit la parricide à la place de Simon.

–C'est à lui que je demande ça.

–Et puis c'est trop compliqué, ajouta Simon.

—M'semble qu'on a le même cerveau...

—Bonne réplique...

Simon dut se résoudre à expliquer une fois de plus ce qu'il ne comprenait pas très bien lui-même.

—Alors tu penses que ce serait parce que tu viens du premier juillet? la moitié de l'année... Mais ça n'explique rien...

Le parricide avait posé la même question.

—Je sais. Je ne peux rien expliquer de plus. Mais je sais que le vieux et les adolescents échappent au phénomène. C'est donc sur les Yourm de ma seule année que s'exerce mon talent. Et je suis le centre temporel de cette année. Les ondes télépathiques de Yourm doivent être attirées par ce trou temporel comme un navire au fond d'un maelström. Je suis leur maelström.

—C'est pour ça que tu savais que vous pouviez me faire confiance. Alors maintenant tu connais toutes mes pensées.

—Ce pouvoir me demande beaucoup d'énergie. Je dois l'économiser. Je ne m'en sers donc que parcimonieusement.

Quand j'en ai réellement besoin. Il n'est pas essentiel que je sache si tu bouffes encore des carottes avec ta viande. Du moment que tu veux aussi t'emparer de la chaise. Pour l'intant, ça me suffit.

Ils se mirent à échanger sur tout et sur rien. Le moins possible sur eux-mêmes, par pudeur.

—Dites donc! lança le troisième Yourm à un moment donné. Le vieux doit être fichument riche! Avec tous les fonds publics qu'il a râflés. Le numéraire et les bijoux doivent défoncer sa cabane!

—Ouais! et il doit s'en saouler plein la gueule, le Puant! opina le parricide.

—Je me demande où il a bien pu mettre tout ça, reprit le Yourm.

Ils arrivèrent à New-York aux petites heures du matin. Ils devaient attendre jusqu'à onze heures pour prendre le train. Vers dix heures, un groupe Yourm s'arrêta devant le banc où ils étaient assis.

—Vous attendez le train?
—Oui.
—C'est bien dommage que vous man-

quiez son discours.

—A qui?

—Mais ... au vieux!

Les trois complices échangèrent des regards surpris.

—Où doit-il prononcer son allocution?

—Aux Nations unies, évidemment!

—Surtout que maintenant, elles sont vraiment unies, continua un deuxième Yourm.

—Bien dommage que vous deviez le manquer, dirent-ils en s'éloignant.

Le Yourm parricide et l'autre lancèrent des regards chargés de reproches à Simon.

—De toute façon, il sera en Californie lorsque nous y serons.

—Mais puisqu'il est ici? Pourquoi ce voyage inutile?

—C'est que monsieur a sa petite amie qu'il doit sauver en Californie.

Simon rougit.

—Elle est entre les mains des adolescents et des fascistes qui s'apprêtent à la torturer.

Une âpre discussion suivit entre Simon et le troisième Yourm. Celui-ci affirmait ne pouvoir attendre pour s'emparer de la chaise, que l'impatience lui rongeait le système nerveux. Le parricide qui tenait le crachoir depuis dix minutes appuya le Yourm en disant que, de toute façon, s'ils tuaient le vieux tout de suite, les fascistes disparaîtraient, tous se retrouvant à leurs secondes propres. Simon convint que c'était, sa foi probable.

—Mais il n'est pas question de tuer le vieux tout de suite! explosa le Yourm.

—Et pourquoi donc? demanda le parricide.

—C'est pourtant simple! comme tu l'as dit, tout risque de devenir normal si on tue le vieux. Et alors, adieu les lingots; la rente en carats, les diamants et tout et tout.

—Mais de quoi parles-tu?

Tandis qu'il s'expliquait, son visage s'illuminait et sa voix se gonflait d'enthousiasme. Il leur fit part, de son plan pour capturer Fort Knox et revenir ensuite à leur époque avec les lingots.

—J'ai trop souffert de manque de fonds, reprit-il. Trop souvent frisé la banqueroute ou rempli des rapports de faillite, trop fui les créanciers. Maintenant que j'ai une chance d'en finir avec tout cela, je ne vais pas la laisser tomber pour le plaisir de me suicider.

—Il ne s'agit pas de se suicider, dit le parricide, mais de débarrasser le monde d'une ignoble crapule qui se fout de sa famille. Qui hait son enfant et sa femme!

L'obsédé monétaire regarda Simon. Celui-ci leva les épaules et les paumes des mains.

Ils finirent par trouver un compromis. Pour l'instant, ils s'empareraient de la chaise, sans tuer le vieux. Ils arriveraient ensuite à temps en Californie pour sauver Maude grâce à la machine. Ils s'occuperaient ensuite de Fort Knox et de l'or puis reviendraient tuer le vieux.

Chapitre 15

À midi trente, trois Yourm portant une petite épingle turquoise étaient assis au banc de l'Afrique. Simon avait choisi ce banc. C'est de là que partirait la vengeance des peuples africains exterminés par ce futur qui n'avait plus le droit d'exister. Le vieux devait disparaître. Ils avaient dû jouer des coudes pour parvenir si près de la tribune des orateurs. Pour se reconnaître, chacun portait sur son uniforme une petite épingle à la hauteur du torse.

Devant, aucune "boîte" ne protégerait l'orateur, celui-ci voulant être bien vu de ses ouailles. Les microphones, installés à hauteur de la taille, permettraient au vieux de rester bien confortablement calé dans son fauteuil d'osier.

Leurs armes ayant été confisquées à l'entrée avec celles des autres, les conjurés durent remanier leur complot. Ils étaient à 3 mètres de l'estrade, légèrement à la gauche. Ils établirent un plan fort simple. Le Yourm monétaire, comme ils l'appelaient, irait vers l'extrême gauche pour créer une diversion chez les Yourm adolescents. Le Yourm parricide foncerait sur les Yourm de droite en poussant des hurlements. Il resterait à Simon la tâche de désarçonner le vieux, de s'emparer de la chaise et de revenir dans le temps prendre ses deux alliés.

Les adolescents apparurent au bout d'une demi-heure. Le vieux les suivait, entouré de son sempiternel halo nicotineux. Au moment convenu, le monétaire se glissa vers la gauche comme s'il se rendait aux toilettes. Au signe de Simon, il se précipita sur les adolescents de gauche. Au même moment, le parricide, au lieu de lancer son action vers la droite, se jeta sur

104

le vieux et le prit à la gorge. Les adolescents lui tombèrent aussitôt dessus pour sauver leur maître. Le parricide et le vieux roulèrent au sol. Simon profita de la confusion et attrapa la chaise.

Une fois sur l'osier, il ne sut pas comment faire fonctionner la machine temporelle. Il ne trouva aucune manette à pousser. Un adolescent, l'ayant aperçu, lui sauta sur le dos. En tombant, il vit les commandes, sur le côté du disque, sous la chaise. Sans trop de difficulté, il repoussa et désarma le jeune. Dans la mêlée, les lasers ne servaient guère. Ils auraient risqué de tuer le vieux. Simon voulut programmer l'ordinateur pour un retour dans le passé mais quelque chose ne fonctionnait pas. Dans la bousculade, la chaise s'était déréglée. Il dut repousser un nouvel assaillant. Il était temps de changer d'époque. Il se projeta dans le futur: un petit bond de quelques années devait suffire.

Il se matérialisa durant la nuit. Il s'arrêta dans la vaste salle déserte et essaya d'ajuster la chaise de façon à ce qu'elle remonte jusqu'avant la bousculade. Il réalisa qu'il lui faudrait des heures pour pouvoir réparer les dégâts. Dans l'état où elle était, la chaise ne remonterait pas plus loin qu'au moment de l'attaque. Simon ne se sentait pas assez patient pour jouer les mécaniciens. Il reprogramma plutôt la chaise de façon à la déplacer dans l'espace. Il revint alors à son point temporel de départ, se placer aux côtés du parricide et du vieux.

Simon ne s'arrêta que pour prendre note de la position du monétaire qui, furieux, s'avançait vers le parricide pour l'empêcher d'achever son meurtre. Il était trop tard pour cela, la langue du vieux pendait, ne laissant planer aucun doute sur l'état de santé général de son corps... Sans réfléchir aux conséquences de son geste, Simon agrippa le parricide dont le visage explosait de satisfaction. Il le transporta quelques années plus loin et revint vers le passé, en faisant dériver légèrement la chaise de façon à se retrouver juste à côté du monétaire. Ce dernier se ruait toujours vers le parricide lorsque Simon l'empoigna. Le parricide eut l'impression de les voir apparaître à l'instant même où Simon le déposa. Le monétaire se mit à l'engueuler.

–Mais t'es pas un peu cinglé! Faux jeton! Dégueulasse! Et si tu l'avais tué, on se serait tous retrouvés, chacun dans notre petite minute, pauvre comme Crésus au moment de mourir.

–D'abord Crésus est mort la gueule pleine d'or liquide. Ensuite, je l'ai tué, annonça fièrement le parricide.

–C'est impossible, on ne serait pas ici!

–C'est pourtant vrai, confirma Simon.

–Mais, comment?...

–Il y a eu multiplication de la chaise et du vieux. Au moment x où nous avons capturé cette chaise correspondent des moments x1, x2, x3, etc. créés chaque fois que le vieux a croisé sa propre ligne temporelle, c'est-à-dire, s'est trouvé deux fois au même moment, et au même endroit. Dans les premiers tests de sa machine, cela a dû se produire assez fréquemment.

–Tu veux dire qu'il y a encore des dizaines de vieux?

Le parricide jubilait.

–Peut-être des milliers, et des milliers de chaises aussi. Cela dépend du nombre de croisements spatio-temporels qu'il y a eu.

La figure du parricide se tordait de joie maladive. Il allait pouvoir tuer le vieux une seconde fois. Des dizaines de fois! L'utopie pour parricide.

–Oui, ça veut dire qu'on va sûrement encore rencontrer le vieux sur notre chemin.

–Bon, bon, bon, dit le monétaire, il est grand temps d'aller chercher la Maude au camarade, qu'on empoche l'or au plus vite. On avisera plus tard sur la façon de se débarrasser du vieux. On aura tout le temps, si j'ose dire. Une chose à la fois.

–Pour l'argent aussi, il faudra trouver une autre solution.

–Comment ça?

–La chaise est bloquée.

–Bloquée?

–Elle ne veut plus remonter plus loin qu'au moment où on a donné l'assaut.

–Mais, c'est terrible ça! Il doit y avoir

un moyen de réparer cette foutue machine!

–Ça nous prendrait les plans. De toute façon, on verra ça quand Maude sera en sécurité. Une chose à la fois... comme tu l'as si bien dit.

–Bon ben, qu'est ce qu'on attend? demanda le monétaire. Et toi, le parricide, t'as besoin de te tenir tranquille maintenant. T'en as tué un, tu peux patienter là, hum?

–C'est ça, répondit l'autre en se frottant les mains, je vais patienter.

Ils repartirent vers le passé. Simon nota une autre défectuosité de la chaise: elle ne se déplaçait plus dans l'espace qu'à coup de 100 kilomètres.

Il n'y avait de place sur la chaise que pour deux personnes et, encore, ce n'était guère confortable.

Ils étaient à Albuquerque lorsque le corps de Simon demanda à se reposer. Ils s'arrêtèrent dans une vieille propriété abandonnée. Elle était classée historique et faisait partie de la "vieille ville" à l'architecture espagnole. Albuquerque étant un centre de moindre importance, très peu de

Yourm l'occupaient. Ils n'y tenaient là qu'une présence symbolique. La méfiance restait néanmoins de rigueur. Ils camouflèrent la chaise dans la cour. Le monétaire fut chargé d'aller aux provisions. Il n'avait pas de cicatrice au front.

Simon n'attendit pas son retour pour aller s'étendre dans une des chambres. Il n'avait pas faim. Il s'en faisait trop pour Maude.

Les visions de Californie lui vinrent très rapidement. Maude était maintenant à un kilomètre de Death Valley Jonction, sur l'immense plateau de tournage qu'y possédait la M.G.M.. Maude et son escorte sortaient de la petite gare des T.S.M., les trains à suspension magnétique.

—Pourquoi m'emmenez-vous ici? demandait Maude.

—Le vieux est amateur de cinéma, comme moi, continua le fasciste à l'habit sombre et à la figure implacablement rasée.

Autour d'eux s'étendait maintenant un gigantesque plateau de tournage sur lequel avait été recréé un village du Far West. Les façades typiques bordaient la large rue principale. A un bout, il y avait une banque et, à l'autre bout, le bureau du shérif. Le vent soufflait sur le sable gris brun qui s'accrochait aux pantalons de velours des Yourm.

–C'est ici qu'il va t'interroger! dit le fasciste en pointant la rue principale.

Il éclata alors d'un rire sadique.

–Mon pauvre, si le rire est le reflet de...

–Ta guculc! lança l'autre en même temps qu'une gifle. J'en ai plus qu'assez de tes proverbes!

–La violence est le muscle des esprits faibles.

–Tu vas la fermer?

Le fasciste s'apprêtait à la gifler de nouveau lorsque le groupe d'adolescents annonciateurs de la venue du vieux apparut en face du saloon devant lequel eux-mêmes venaient de s'arrêter.

–Bon, où est cette fameuse Maude Syen? demanda le vieux, sitôt matérialisé.

–Ici, répondirent en choeur trois fascistes, un adolescent et Maude qui en reçut un coup de coude au ventre.

—Ne maltraitez pas cette brave et, ma foi, fort belle femme qui a su trouver sympathie auprès d'un Yourm. Sympathie, et qui sait... peut-être plus.

—Qui n'est plus vert devient pervers.

—On m'a parlé de ton sens de la citation. Ton érudition ne semble avoir d'égale que ton esprit d'initiative et ton dynamisme. L'arrogance aussi peut-être... Quoi qu'il en soit, être passée entre mes doigts en Australie...

—Suffit la flagornerie! Vous savez bien que c'est le fait d'un Yourm, cette évasion! Votre MOI sublime vous a tout de même trahi.

—Un poireau sur le nez! Voilà ce qu'était votre Simon Yourm! Un poireau qu'un peu d'eau des canaux d'Amsterdam a fait fondre.

—Quoi?

—On ne vous l'a pas dit? Votre ami est mort.

—Je ne vous crois pas!

—Ça n'a pas d'importance... Tant que je t'ai ici, gentille personne.

112

—Cessez de me parler sur ce ton affable! Je sais très bien que vous haïssez tous ceux qui ne sont pas des Yourm.

—Mais non... Je suis ici pour apporter la paix dans le monde. Enfin!... De plus, toi, tu vas m'apporter la bonne humeur. Alors je veux t'être agréable, me montrer avenant, charmant, engageant, commode et plaisant.

—C'est raté, fit Maude. Qui sent trop fort la bonne humeur est à pourrir corps et coeur.

—Exactement ce que je voulais dire, ma chère. Je veux t'être agréable avant de te soumettre à la torture. J'espère d'ailleurs que tu n'es absolument pas disposée à répondre à mes questions au sujet de votre évasion, le coup de la jeep explosée et tout ça... Si tu parlais tout de suite, mon plaisir serait gâché.

—S'il ne faut que cela pour gâcher votre plaisir et pour éviter la torture, c'est bien simple. Nous avons fait sauter la jeep à 220 kilomètres du train qui...

—Fermez-lui la gueule! Bâillonnez-la, étranglez-la s'il le faut! qu'elle se taise!

Un Yourm fasciste se chargea de lui plaquer sa main à la bouche, solution primitive et temporaire, mais efficace et moins radicale que l'étranglement.

—Bon...

Le vieux avait retrouvé son calme.

—Attachez-la au poteau de torture!

Le vieux s'éloigna. Trois caméras prirent position formant un champ parabolique dont le foyer était le poteau de torture.

—Et toi, Maude Syen, si tu donnes encore une seule information avant d'être torturée, je te tue. Ne lui mettez pas de bâillon! Ca ferait réaliste encore! Des Indiens qui bâillonnent leurs suppliciés! A propos des Indiens... faites-les donc entrer en scène. Oh! et puis, je ne sais pas. Je devrais peut-être te faire languir un peu, que tu réfléchisses sur les horreurs qui t'attendent. Ça pourrait être intéressant de filmer ta binette pendant ce temps.

Maude, qui espérait toujours que Simon arrive, lui dit:

—Ne remettez jamais à demain plus tard, ce que vous pouvez remettre à demain tout de suite.

—Je crois que non, après tout. Premièrement, tu m'énerves trop. Ensuite, tu ne penserais pas à tes futures tortures, tu penserais à de nouvelles citations. Amenez les Indiens!

De nouvelles caméras apparurent sur les toits, dans les fenêtres, partout. Le vieux voulait filmer toute la scène sans rien manquer. Il avait l'intention de tourner tout un film, sa première production. "*Sur le vif de mes sujets*" allait-il l'appeler. Ce serait l'histoire d'un sorcier indien qui devient roi des E.U. en faisant pleuvoir sur les terres des colons. Une fois roi, il se venge de toutes les félonies dont les siens ont fait les frais dans le passé et met au vif la chair de ses nouveaux sujets.

***

En suivant toute cette action, Simon venait de prendre conscience qu'il ne pouvait situer avec précision ces événements par rapport à la limite de recul de la chaise. Pour l'apprendre, il eut l'idée de tenter de communiquer avec Maude par l'intermédiaire d'un Yourm. Il se concentra sur le Yourm déguisé en grand sorcier qui s'approchait du poteau de torture. S'enfonçant, plongeant dans la personnalité de l'autre, Simon se mit à sentir la perruque sur sa tête, les bracelets d'os à ses chevilles, l'épais maquillage rouille sur son visage et tout son corps. Il se rapprocha de Maude qui le regardait avec appréhension.

—Langue pendue doit être préparée pour danse sacrée de la torture!

Le sorcier badigeonnait de peinture bleu terre le fin visage de la prisonnière.

—Tout à fait ridicule!... Si tu penses imiter ainsi un sorcier amérindien... il faut te documenter mon vieux. Quand on sait pas, on parle pas.

—Silence, Maude! On tourne! Et rappelez-vous, mademoiselle Syen... le silence est l'antichambre du hurlement. Mais, pour l'instant, restez au vestibule, voulez-vous?

Simon fit encore un effort pour pénétrer le Yourm sorcier. Il sentait maintenant tout ce que l'autre ressentait. Il put apprécier ainsi le taux d'humidité contenu dans le crachat de Maude que sa joue rouille venait de recevoir.

–Très bon! Très bon! fit la voix du vieux en retrait.

Simon empêcha la main qui venait d'essuyer le crachat de frapper la prisonnière. Il se mit à parler à la place du sorcier. Il souffla à l'oreille de Maude: "C'est moi, Simon." L'expression faciale du sorcier n'allait pas du tout avec ce qu'il disait. Ses yeux exorbités criaient sa surprise en s'entendant prononcer ces mots:

–Maude, je ne suis pas ici mais j'ai besoin de savoir... à quel jour et à quelle heure es-tu? Vite! Je ne peux pas rester ici plus longtemps.

Les forces de Simon s'épuisaient rapidement. Il allait perdre le contrôle du sorcier. Maude comprit intuitivement qu'il s'agissait de Simon et, regardant le sorcier droit dans les yeux, lui dit:

–Allons mon vieux, c'est le temps de retourner à l'école. Nous sommes le huit septembre et il est déjà midi trois.

Sa voix fut presque couverte par le cri

du sorcier qui leva sa hache et la planta à 3 centimètres de son crâne. Simon avait perdu le contact.

Chapitre 16

Simon fut atterré.

–Midi trois! Mais la machine ne descend que jusqu'à midi trente-cinq. On n'arrivera jamais à temps. Dans une demi-heure elle aura été scalpée! Brûlée vive!

Il se leva et réveilla les autres sans les mettre au courant, de peur qu'ils abandonnent devant le peu de chance qu'ils avaient de sauver Maude.

La peur de se retrouver seul avec les lui-même le reprenait. On se lasse de regarder au microscope comme un tailleur de diamants qui examine chaque facette de la pierre, critiquant son eau, admirant son feu. Et puis, même sans tenir compte de l'attraction qu'elle exerçait sur lui, en oubliant son visage à la fois noble, farouche, espiègle et intelligent, ou en passant sous silence qu'elle lui avait sauvé la vie deux fois, Simon devait admettre, ce qu'il faisait volontiers, que Maude lui manquait. S'il lui fallait demeurer encore quelque temps dans cette époque, il aurait besoin de sa présence.

—Bon... on repart? demanda le monétaire, on a fini de manger, nous...

—Oui, on y va...

"Une demi-heure! se disait Simon, après toutes ces années de promenades temporelles, une demi-heure de retard!"

Pendant que Simon exhalait à fort voltage sa frustration, à Death Valley Jonction, les événements se précipitaient les uns par dessus les autres.

Le sorcier avait terminé ses incantations. Une bande d'Indiens arrivée à cheval faisait un demi-cercle à environ 12 mètres du poteau où Maude était encore ligotée.

Les caméras disséminées sur le plateau ne manquèrent rien. Le vieux était assis devant les douze moniteurs des caméras vidéo. A l'aide d'une télécommande, il actionnait telle ou telle caméra, choisissant les angles dans lesquels à tout moment il voulait observer et filmer l'action. En ce moment, il regardait un plan rapproché d'un guerrier qui bandait son arc. La flèche partit vers Maude. Une caméra, derrière le poteau, prit le relais. Elle présenta au vieux la flèche qui vint, au ralenti, se figer à quelques centimètres du genou droit de la suppliciée.

Pendant dix bonnes minutes, rien ne vint rompre le sadique délassement du vieux. A chaque fois qu'une flèche ou qu'un tomahak heurtait le poteau, les guerriers hurlaient de joie. Les fascistes et les adolescents qui regardaient la scène ne cachaient pas non plus leur enthousiasme. Maude, par contre, trouvait le temps bien long.

—T'es blanche comme un sac de plâtre! lui cria le Yourm qui, plus tôt, avait été si exaspéré par ses proverbes.

Elle sursautait chaque fois qu'une flèche pénétrait le poteau mais parvenait néanmoins à faire bonne figure. Elle avait même esquissé une grimace au vieux qui la regardait par une fenêtre du salon.

—Au premier coup ne choit pas l'arbre... avait ricané le vieux, quelque part entre ses lèvres et son cigare.

Les "Apaches" s'apprêtaient à passer à la deuxième phase de leur plan de torture: les flèches enflammées. On avait attaqué ses nerfs, on allait maintenant attaquer sa peau.

Une caméra suivit une flèche qu'un Indien trempa dans un tonneau de métal rempli de charbon ardent. La graisse entourant la pointe de la flèche prit feu. Lentement l'arc se releva, on aperçut à l'écran la tête du guerrier. Puis le son d'un coup de feu retentit. L'arc s'échappa des mains rougeâtres. Le corps suivit, tombant sur la graisse enflammée. Les Indiens se mirent à l'abri.

De tous les toits sortirent des Yourm habillés en cowboys. Nés des fantasmes de Simon Yourm, ils venaient au secours du blanc torturé. Les adolescents et les fascistes allaient intervenir avec leur laser mais le vieux leur intima l'ordre de rester à l'écart. Il voulait filmer cette bataille inattendue et inespérée. Cette bande de Yourm avait dévalisé le magasin de costumes du studio. Ils avaient raflé tous les costumes de cowboy disponibles. Ils s'apprêtaient à vivre leur fantasme avec l'énergie de la conviction.

Les Indiens décochèrent des flèches enflammées sur certains toits qui, en s'enflammant, obligeaient les cowboys à se découvrir. Un Yourm déguisé en Lone Ranger tomba, maculant de poussière brune sa chemise blanche. Mais, en fait, c'étaient surtout des Indiens qui tombaient. Le vieux se décida à faire intervenir les fascistes.

Simon suivait de sa vision la bataille qui faisait rage sur le plateau de tournage. Six Yourm déguisés en mousquetaires du roi vinrent se joindre à la mêlée. Au début, on ne savait pas trop de quel côté ils étaient. Ils ne semblaient pas le savoir eux-mêmes. Mais, comme leur marotte se limitait à s'élancer du haut des toits ou des balcons en se pendant à des câbles reliés aux systèmes d'éclairage, ils ne représentaient pas grand danger pour les cowboys. Décrivant une courbe dite "à la Rice Burrough", les mousquetaires faisaient basculer des demi-douzaines de fascistes les uns sur les autres. D'un vif estoc ou d'une botte bien allongée, ils leur blessaient les mains de façon à les empêcher de se servir de leur laser.

Mais le combat restait néanmoins beaucoup trop inégal. Y participaient: six mousquetaires; onze cowboys, plus que huit, en fait; quinze survivants indiens; dix-huit fascistes et huit adolescents munis de laser.

Les cowboys et mousquetaires n'étaient pas encore tous éliminés parce que la confusion qui régnait sur le terrain rendait passablement dangeureuse l'utilisation des lasers.

Maude en savait quelque chose. Deux fois un faisceau avait entamé le bois du poteau. Dès le début des combats, bandant et débandant successivement ses muscles, elle était parvenue à se glisser vers l'autre face du poteau. Cette initiative lui sauva plusieurs fois la vie, comme en témoignait sans équivoque la face exposée du poteau qui était toute noire, calcinée et fumante.

Soudain, un grondement sourd se fit entendre. Les cowboys, du haut des toits, virent arriver du désert une longue colonne de poussière.

–La cavalerie! hurla l'un d'eux, se dressant sur ses pieds, les bras levés en signe de victoire, ce bel enthousiasme valant à son myocarde une flamboyante visite.

"Décidément, se dit Simon en se remettant sur la chaise avec le parricide, tous mes fantasmes s'y retrouvent..."

Une quarantaine de motards en vieilles Harley Davidson tournaient autour du minuscule village. Celui-ci n'avait en effet qu'une rue principale. Les blousons noirs défilaient entre les maisons de bois décapées par le vent sablonneux du désert. Sur leurs vestes, les boutons métalliques formaient des croix gammées, des têtes de serpents, des morts, etc...

Simon ne remarqua pas grand différence d'avec les Harley qu'il connaissait. Elles avaient le même profond vrombissement qui s'harmonise avec la passion du cavalier. La principale différence était l'absence de phares remplacés par des fibres optiques disséminées sur la fourche, lesquelles permettaient d'ajuster à volonté l'angle de l'éclairage.

Le vieux se précipita dans la rue. Sa chemise entr'ouverte à la hauteur du nombril, qu'il avait fort éloigné de la colonne vertébrale, fut tachée par une motte de boue projetée par une moto. Celles-ci roulaient maintenant dans le village, semant la confusion et dispersant les antagonistes. Cela permit aux cowboys de toucher les fascistes et autres nombreux ennemis. Les motards eux-mêmes, mitraillaient à qui mieux mieux tout ce qui bougeait.

Un motard aux lunettes fumées, faisant patiner sa roue sur le sable, fonça vers Maude. Il tenait une lourde chaîne de la main droite. Il la lança tel un lasso sur le poteau de torture. Puis il freina en effectuant un quart de tour. Il accrocha la chaîne à sa Harley. Le poteau finit par céder. Maude se trouva entraînée dans le désert.

Choqué par le tour que prenait SA bataille, le vieux rentra dans le saloon en vidant son verre de whisky. Il était midi trente-cinq.

–J'ai le temps, dit-il, j'ai tout le temps.

Il se dirigea vers sa machine. Il s'apprêtait à revenir dans le temps régler le compte des motards. Juste comme il s'assoyait, une seconde chaise d'osier fit son apparition à ses côtés. Le parricide se jeta sur le vieux. Simon retourna chercher le monétaire. Aussitôt dit, aussitôt fait. Le parricide se jetait encore sur le vieux lorsqu'ils revinrent.

–Attends, je veux qu'il me dise où est Maude.

–Elle s'est fait enlever par les motards, gémit le vieux.

Le son des Harley s'éloignait rapidement du plateau. N'attendant pas de voir mourir sa vieillesse une deuxième fois, Simon bondit sur la chaise du vieux.

Maude se sentit glisser sur le côté du poteau traîné par la Harley Davidson. Le sol se rapprochait dangereusement de son bras droit. Déjà ses doigts se râpaient contre les plus grosses pierres. A 30 kilomètres à l'heure son épiderme risquait de s'en trouver remarquablement ravagé. Elle sentit soudain la moto tenter d'éviter un obstacle.

Simon venait de se matérialiser à quelques mètres de la Harley qui traînait Maude. Le motard vira à droite pour l'éviter. Il frappa durement la chaise mais sans s'arrêter. Simon sauta derrière le motard qui, apeuré et en déséquilibre, abandonna le véhicule. Celui-ci se mit à bringuebaler comme un canard ivrogne. Le poteau commença à tressauter. Simon dut ralentir progressivement pour éviter à Maude de se retrouver la face contre le sol.

Lorsque le tandem s'immobilisa enfin, le nez de Maude se trouvait posé contre une grosse roche.

–Un centimètre de plus, un nez de moins, dit-elle.

Trop éloigné, le reste de la bande ne s'était aperçu de rien et continuait à se distancer.

–Simon Yourm, je présume?

–Ah Maude! Même ça, ça fait plaisir à entendre.

Ils prirent quelques instants pour se regarder.

–Ah!...nous sommes arrivés à temps! Je te retrouve saine et sauve. Tu n'as pas changé!

–Manière galante de dire que j'suis pas trop amochée...Toi, par contre, tu as changé.

–Comment ça, qu'est-ce que tu veux dire?

–Je ne sais pas, tes traits sont tellement plus purs que ceux des autres Yourm. Non, pas plus purs, plus riches. Je ne sais pas. Quoi qu'il en soit, dit-elle en se rapprochant, tu es beaucoup plus beau.

Ils s'enlacèrent.

–Maude, je...

–Chut...une minute de silence...pour que l'éternité prenne la parole.

Une fois que l'éternité eut parlé, Maude et Simon prirent quelques instants pour se raconter leurs dernières aventures.

–Alors je lui ai dit: "Qui taille la bavette

se noie dans la morve!"

–Ecoute, c'est pas que je veuille t'interrompre, mais il faut qu'on retourne là-bas. J'ai pas trop confiance en mes deux zigotos dont je viens de te parler. J'ai peur qu'ils se fassent piquer la chaise du vieux. Ou qu'ils foutent le camp avec.

Ils marchèrent jusqu'à sa chaise d'où émanait une mince volute de fumée.

–Inutilisable! C'est bien moi, ça, en tout cas! La finition de mes inventions n'a jamais été très élaborée. La finesse avant la robustesse!

De petites flammèches sortaient du socle supportant la chaise.

–Bon, allons-y en marchant...Nous ne sommes pas trop loin. Là-bas, il y aura toujours l'autre chaise pour nous sortir du désert.

Chapitre 17

Lorsqu'ils arrivèrent au village, le Yourm monétaire les attendait à l'entrée du saloon.

–Madame Maude Syen, je présume?

–Elle l'a sorti avant toi. Voici M. Yourm, dit "le monétaire".

Simon le différenciait grâce à la légère cicatrice qu'avait au front le parricide.

–Et je suppose que notre ami est à l'intérieur?

–Pas en ce moment. Notre parricide ami est tout à sa quête infinie: tuer tous les vieux existants.

–Tu l'as laissé partir avec la chaise?

–C'est pas que je le voulais, tu peux en être sûr! Il a profité d'un moment d'inattention. Je visionnais les derniers combats sur les écrans vidéo.

–Ah! l'ubiquité!...c'est les ennuis multipliés...

Simon prit Maude sous le bras et l'emmena au bar.

–Maude, redis-moi que je suis différent d'eux tous! C'est à en devenir fou! J'ai déjà fait des cauchemars où je tuais des gens. Je me réveillais en sueur et passais toute la journée à me sentir coupable. Mais là, c'est pire que n'importe quel cauchemar!

–Je te l'ai dit, vous commencez déjà à vous différencier. Les expressions de ta figure, par exemple, sont plus souples que celles des fascistes ou du monétaire. Et on dirait que leurs traits sont encadrés par leur personnage. Sans n'être encore que des jumeaux, vous n'avez plus l'air d'être la même personne. Des sosies, tout au plus.

–Tout ça à cause de cette maudite chaise...

–Sosie soit qui mal s'asseoit...

–De toute façon non! C'est la faute d'on ne sait quoi ou qui! C'est le futur! Enfin, mon futur! Le vieux! Mais qu'est-ce qui a pu m'arriver pour que je me transforme en ce sadique, ce dégueulasse?

–Ne pense pas au futur disait Einstein, il vient bien assez vite!

–C'est ça! s'exclama Simon. Aller au futur! Il faut tuer le vieux "avant" qu'il ne parte pour la première fois! Avant le premier essai de la chaise!

–Mais comment faire? On n'a plus de chaise.

–Celle-là ne reculait pas assez loin dans le temps. Il faut en trouver une autre en état de marche.

Le Yourm monétaire était assis devant la série d'écrans. Celui qu'il regardait avec tant d'attention transmettait, son et image, un gros plan de Maude et Simon.

–Et alors?

–Alors...

Simon baissa la voix.

–Alors j'irai tuer le vieux. Je ne veux pas qu'il nous entende.

Il pointa le monétaire.

–Il voudrait nous faire riches en rapportant des fortunes du futur dans le passé. Moi, j'ai la certitude que je deviendrais bien vite malheureux avec des millions. J'ai l'intention de tuer le vieux avant que le monétaire ne mette son projet à exécution.

En disant cela, Simon ressentit un pincement au coeur. En retournant dans son époque, il perdrait irrémédiablement Maude.

L'incident qui suivit fut si fulgurant que même Simon, sans sa vision, aurait eu du mal à s'y retrouver. Celui-ci venait tout juste de prononcer le dernier mot de sa phrase lorsque le parricide apparut sur la chaise.

–Salut les gars, j'suis venu vous dire un p'tit bonjour avant de m'en retourner, histoire de vous narguer et de voir la binette de la Maude.

–Aaarhhrg!

Le monétaire hurla.

La chaise commençait tout juste à vibrer, rendant l'insolent encore plus irritant, quand le monétaire se jeta sur lui.

Tous deux disparurent, sans plus de bousculade.

—Eh ben, parricide et cupide côtes à côtes...belle paire.

—Ouais je me demande bien ce qui va en ressortir.

—Tu me raconteras.

Simon esquissa un sourire à Maude avant de fermer les yeux, le corps allongé sur le long bar au revêtement de zinc.

***

—Imbécile! Qu'est-ce qu'on fait ici! demanda le monétaire.

—Je te ferai remarquer que c'est toi qui as forcé la porte, je ne t'avais pas invité que je sache...

Simon reconnut tout de suite l'endroit où se trouvaient le parricide et le monétaire. C'était le quartier général du vieux. Il avait visité le lieu en vision, le jour de l'assassinat de Rotrib Frokin, le président des Etats-Unis.

—C'est le repaire du vieux, cher monétaire.

–Ouais... ben, on va foutre le camp parce que je n'ai pas que ça à faire moi. J'ai des millions à amasser.

–Les millions vont attendre mon vieux.

–Appelle-moi pas ton vieux! Venant de ta bouche, ça pue l'obscénité...

–Tu es pris ici pour cinquante-cinq minutes.

–Qu'est-ce que tu racontes?

–J'ai réglé la machine de façon à ce qu'elle reste ici une heure, puis quinze minutes où on veut. Pendant ces quinze minutes, on ne peut pas remonter très loin dans le passé. Au bout d'un quart d'heure, elle revient d'elle-même ici. La chaise continuera ce manège jusqu'à ce que j'aie tué ce salaud plusieurs dizaines de fois.

–Je me demande comment un cinglé comme toi a pu ajuster cet appareil.

–Ah... c'était fastidieux, bien sûr... mais pas très compliqué. Il s'agissait de suivre les plans.

–Les plans? Tu as les plans de la machine?

–Bien cachés! Tu les trouveras jamais. J'ai caché tout ce qui concernait le recul temporel!

–Salaud! cria le monétaire en se jetant sur le parricide.

Comme le monétaire avait dans la main droite une télécommande de vidéo en ébène, le combat qui suivit fut de courte durée. Le parricide s'effondra, l'occiput fêlé.

Avec toute la vigueur de ses 24 ans, le monétaire se mit à virer la pièce sens dessus dessous. Il fracassa tous les miroirs et éventra le fauteuil de cuir du vieux. Puis il sonda tous les murs. Il finit par les défoncer un à un. Le plâtre sec noya la salle d'un nuage blanc qui se déposa doucement, malgré la fureur du Yourm, sur le sol déjà si encombré.

–Ça manque un peu de méthode, dit-il, tâchant de retrouver son calme.

Il passa dans la salle suivante où, se rassura-t-il, en cherchant plus systématiquement, il trouverait les plans.

Cette pièce était le laboratoire du vieux. C'était une salle immense de 15 mètres par 30. Le monétaire commença à en faire le tour. Sur le mur de droite s'étendait un petit accélérateur de particules subatomiques (P.S.A.). A gauche, il y avait, près de l'entrée, un transformateur/générateur d'électricité. Tout à côté, un simulateur d'apesanteur à champ magnétique. Ce simulateur servait entre autre à créer de nouveaux alliages utilisés dans la fabrication de la chaise. Il permettait aussi d'accélérer les P.S.A. sur de plus courtes distances.

Des rails larges de 60 centimètres couraient sur le sol à partir du gigantesque casier à outils. Celui-ci contenait une variété presque infinie d'instruments de toutes sortes. Des machines robotisées aux tournevis à fibre optique et aux scies à froid. L'armoire s'étendait sur 5 mètres.

En continuant sur le rail, le monétaire arriva à un établi. Long de 10 mètres, il était encombré de centaines d'instruments électroniques, mécaniques, ou chimiques. Des cornues, des éprouvettes se mêlaient aux gyroscopes et aux évaluateurs de champs magnétiques. Une chaise de barbier posée en face du gyroscope attendait un client. Le monétaire s'y assit. Cela déclencha le bourdonnement d'un moteur. Le Yourm appuya sur une des deux manettes. Il s'en trouva soulevé à 5 mètres dans les airs. La seconde manette le fit pivoter d'un demi-tour. Dans le milieu de la salle, il aperçut deux accélérateurs en spirale. Le premier, statique, était fixé au sol. Le deuxième, plus petit, était installé sur un socle qui tournait autour d'un pivot: le même socle noir qui supportait la chaise.

Le vieux avait probablement trouvé une particule subatomique plus rapide que la lumière, se dit le Yourm. Et, par un procédé quelconque, cette particule faisait tourner la chaise sur elle-même à des vitesses supraluminiques pour atteindre un état d'apesanteur.

Il revint au rail, s'assit sur la chaise automobile et continua son investigation. A chaque station qu'il atteignait, il examinait de fond en comble les paperasses qui s'y trouvaient. Il avait fait ressembler l'établi ainsi que le casier à outils à une chambre d'adolescent. Il s'apprêtait à faire de même avec le bureau d'études du vieux.

Celui-ci s'étendait sur quatre étages

desservis par l'auto-chaise. L'étage supérieur servait à mettre ses idées sur papier. Les manuscrits qui s'étalaient sur cette table étaient tous incomplets et barbouillés de schémas incompréhensifs. Le monétaire fit descendre la chaise de 2 mètres. Au deuxième bureau, les schémas étaient déjà plus élaborés et noircis d'annotations d'ordre technique. Toutes les données ou idées théoriques restaient cantonnées au quatrième étage.

Passé le troisième étage, c'était le stade de l'expérimentation. En revenant de l'atelier, le vieux modifiait une dernière fois ses plans en les transcrivant au propre au deuxième étage. C'est là que le monétaire concentra ses efforts. Il compulsa le moindre fascicule, éplucha la moindre brochure. Chaque pile de feuilles y passa. Il ne trouva aucune note relative à la programmation du recul temporel. Le dernier cahier concernait "les diverses courbes exponentielles de l'accélération vers le futur". Si le parricide ne l'avait pas induit en erreur en lui parlant de recul temporel, peut-être aurait-il compris.

Simon, qui "visionnait" tout cela, sourit en regardant le monétaire écarter du revers de la main ce dernier cahier. Il avait compris, lui. La machine ne voyageait que dans le futur. Mais le temps décrivant une courbe, cela permettait de se retrouver aussi bien dans le passé que dans le présent ou le futur, après un tour complet. En multipliant la vitesse de façon exponentielle, on pouvait donc se retrouver aussi rapidement dans le futur que dans le passé.

Le monétaire descendit alors d'un étage. Sur le pupitre du premier étage s'étalaient les "plans politiques" du vieux. Le Yourm rugit et précipita son auto-chaise vers la bibliothèque.

—J'en ai rien à foutre, moi, de la politique! Où a-t-il bien pu cacher ces foutus plans?

La bibliothèque, aussi longue qu'un requin blanc, contenait un ramassis de livres, de revues, de disques et cassettes vidéo, de programmes d'ordinateurs, de linge, de bouteilles de peppermint schnaps, d'écrans vidéo, etc. Toutes ces choses s'amalgamaient dans le plus complet désordre. Le Yourm se donna néanmoins beaucoup de peine à l'empirer.

De tout cela, Simon avait surtout retenu les plans politiques du premier pupitre, ceux-là mêmes que le monétaire avait complètement oubliés. Simon décida d'envahir l'esprit du monétaire afin de l'obliger à consulter ces dossiers.

A ce moment, le monétaire avait perdu son calme et sa méthode. Il vidait toutes les étagères qu'il pouvait. Les bouteilles de peppermint schnaps volaient, brisant les tubes cathodiques. Les piles de revues s'étalaient sur le sol. Un seau de miel se renversa parmi une pile de vêtements, puis dégoulina sur une caisse de disquettes de programmation, les rendant inutilisables. Cela rendit le Yourm encore plus furieux; il craignait que les plans de la chaise y aient été conservés. Il se jeta sur les bouteilles d'alcool qui restaient et les lança de toutes ses forces vers un vieux percolateur en criant: "Maudit alcoolique!"

–Tiens, le voilà comme le parricide, se dit Simon.

Simon pénétra de plus en plus profondément dans l'esprit de l'enragé. "Où sont donc ces maudits plans?" entendait-il résonner dans sa tête. Il sentit bientôt sa rage. A ses côtés, Maude s'inquiétait en voyant tous ses muscles se tendre à l'extrême.

Bientôt, le monétaire, malgré lui se dirigea vers le premier pupitre: les plans politiques. "Tiens, se dit-il, peut-être qu'il a caché les plans dans ces cahiers!" Simon, de toutes ses forces, lui insufflait cette idée. Le monétaire se mit à scruter chaque page.

"Le monde aux Yourm" titrait le *document.*

"But ultime = remplacer toute la population de la Terre par des Yourm".

Simon lut et relut maintes fois ces lignes qui ne voulaient pas se laisser traiter par son cerveau. "C'est impossible, affirmait subjectivement celui-ci. Relisez-ça! Vous, les yeux!"

La signification, une fois absorbée, était claire: élimination de l'humanité, Yourm exceptés. Simon fut frappé de stupeur. Il continua sa lecture au rythme de celle du monétaire.

"Phase A: Conquête du monde, disséminer les Yourm sur le globe.

Phase B: Préparation des Yourm à coopérer entre eux. Briser leur individualisme

•Leur insuffler l'esprit d'équipe

•Leur insuffler l'esprit de sacrifice.

"Cette phase sera menée parallèlement à la phase A et aura aussi pour but de faire passer le temps, d'habituer le Yourm au nouveau monde, même si cela devait ralentir les choses. Façon de parler...

Phase C: Conditionner les Yourm à la ségrégation des Terriens étrangers.

•Uniformes

•Habitude de la mort d'autrui

•Réduire la mort d'un étranger à peu de chose. Ces éliminations devront tout d'abord avoir lieu sous le sceau de la nécessité.

Phase D: Phase finale

Préparation des Yourm au phénomène du génocide.

Opération "Afrique"

A chaque point, le vieux détaillait les

mécanismes d'application. Ici, par exemple, il décrivait la manipulation à exercer sur un Yourm pour lui faire croire qu'il poursuivait son rêve de lion. On lui donnerait accès au poste de commande des missiles nucléaires africains qui auraient été au préalable programmés pour atteindre les grands centres urbains ainsi que les principaux fleuves et autres sources d'eau potable du continent.

"L'Afrique est le bon endroit pour commencer les génocides. L'élimination des gens de couleur devraient moins énerver les Yourm que s'il s'agissait de Blancs comme nous-mêmes."

–Mais j'ai jamais été raciste! s'écria Simon révolté et presque sur le point de perdre ses yeux sous la pression des larmes de rage.

La phase suivante concernait les camps de concentration urbains.

"Il s'agit de rassembler les populations des campagnes, des villages et des villes mineures dans les grandes cités, pas trop industrielles. Il faut songer à leurs des-cendants: nous. Je prétexterai une mesure

temporaire qui durera jusqu'à ce que le nouvel ordre soit établi. Il faudra convaincre aussi bien la population que les Yourm. Si la population y croit, les Yourm y croiront et vice versa.

Instigation d'émeutes provoquées par les plus vieux adolescents déguisés et appuyées par une pénurie de nourriture. Les adolescents ne posent pas de questions, donc, ne posent pas de problèmes.

Présentation de ces émeutes comme étant un refus global du nouvel ordre (ce qu'elles seront, de toute façon). Il sera donc nécessaire d'exercer une dure répression.

Destruction d'une ville en exemple
Nouvelles émeutes
Destruction finale.

Lorsque le monétaire tourna enfin la dernière page, Simon lâcha son emprise et le laissa retourner à sa quête.

—Mais que s'est-il passé? Tu as l'air terrassé!

—C'est le poids des ans...s'efforça d'ironiser Simon.

Il lui raconta tout. Timidement, honteux. Il avait peur d'être vu comme un monstre potentiel, ce qu'il était.

—Je ne sais pas ce qui m'est arrivé! Je... il est si différent!

—Je ne sais pas ce qui m'est arrivé! Je... il est si différent!

—Ecoute, t'as pas besoin de te justifier. On en a déjà discuté...Toi c'est toi, lui c'est autre chose.

—Mais c'est moi!

—Tu dois savoir aussi bien que moi pourquoi on n'a jamais exploité à fond les techniques du clônage humain. On s'est vite rendu compte que le conditionnement social faussait les données. On ne peut pas créer deux Einstein, même avec deux cerveaux d'Einstein, pour la simple raison que les milieux sociaux et environnementaux dans lesquels le savant a évolué ne peuvent être reconstitués. L'hérédité propose, le milieu dispose. Et toi, le vieux et tous les autres, vous êtes des clônes temporels.

Simon et Maude sortirent du saloon. La gare des trains à suspension magnétique, qui reliaient Death Valley Junction à Los

Angeles, se trouvait à 15 mètres de là, à la bordure du haut plateau. Simon marchait lentement, envahi d'une grande lassitude. Il avait l'impression d'atteindre la porte de sortie d'un cauchemar et d'en avoir perdu la clef.

–C'est pas la peine de te tourmenter, Simon...Tu ne deviendras jamais le vieux, car ce que tu vis en ce moment...il ne l'a jamais vécu.

Le visage de Simon reflétait toujours la même affliction.

–Tristesse de bonnet de nuit à la vie de diurne nuit.

Tristesse de porte de prison c'est l'enfer de la raison.

Chagrin géant, poignant; crottin puant, gênant.

Et celui-ci, Simon: Mortel en fête vaut mieux que martel en tête!

Bien malgré lui, Simon esquissa un sourire. Il ne savait pas si c'étaient les stupidités qu'elle débitait qui le faisaient rire ou le fait que Maude, dont la vie plus que jamais était en danger, ne semblait pas s'en faire outre mesure. Il finit par rire. Maude avait raison: il ne servait à rien de se lamenter sur ses vieux jours, il fallait commencer par s'occuper de son retour à la prime jeunesse.

Chapitre 18

Ils arrivèrent aux mini-trains et s'installèrent dans une locomotive.

–Tu sais comment la faire fonctionner, toi?

–C'est pas parce que c'est mon époque qu'il faut que je sache tout.

–Bah... j'imagine que c'est pas trop compliqué.

Bien vrai. C'était simple. Sans friction, vibration ou son, la locomotive démarra comme un javelot.

–Ah... ces savants...

–S'agit simplement de savoir lire et

d'essayer les boutons. Tiens, par exemple, ces six curseurs de freinage. Celui de gauche doit commander l'arrêt progressif normal et le dernier, l'arrêt d'urgence. Entre les deux, il y a les variantes.

—Essayons-les. Il peut être pratique de savoir de quelle marge de sécurité nous disposons.

Simon appuya sur le premier bouton. Sans bruit aucun, la locomotive à coque de plexiglas s'immobilisa comme si un invisible bison lui avait barré le chemin. Tout aussi silencieusement, au début du moins, Maude et Simon abandonnèrent le plancher de la locomotive pour se frapper contre les glaces panoramiques. L'intérieur du véhicule s'emplit soudain d'un matériel souple et rebondissant qui les enveloppa quelques instants avant de se dessouffler automatiquement pour leur éviter l'asphyxie.

—C'était probablement l'inverse, fit Simon en se relevant.

—Ah! les savants!

—C'est toi qui avais dit ça, pas moi.

Les vagues de plastique s'endormaient

par petits spasmes.

—On ramasse ça et on repart?

—Hé! Si vous vous occupiez de moi!

La voix, reproduite par des haut-parleurs, venait du dehors, comme le signalait un indicateur digital. Prudemment, Maude et Simon risquèrent un regard furtif vers l'extérieur. Un Yourm se tenait sur la voie, derrière une chaise temporelle renversée par la locomotive.

—C'est moi, le monétaire!

Ils le reconnurent par la petite épingle turquoise.

— Mais qu'est-ce que tu fais ici? demanda Simon en sortant de la locomotive.

—J'ai décidé de venir vous rejoindre et de vous aider. Je ne sais pas exactement ce que vous comptez faire, mais vous avez mon appui.

—Et ton or? Tes trésors?

—La valeur attendra les années, répondit le monétaire en souriant à Maude.

—Qu'est-ce qui t'a fait changer d'idée? questionna encore Simon.

—Toi! Dès que j'ai eu l'idée de fouiller les plans politiques du vieux, j'ai su que tu me l'avais suggéré. J'ai trouvé que c'était une bonne idée, alors j'ai continué. Mais à mesure que je tournais les pages, ma soif d'argent s'apaisait. A quoi me serviraient ces millions...si je passe le reste de ma vie avec la hantise de savoir que j'aurais laissé le vieux exécuter ces plans démentiels. J'ai réalisé que, même riche, je ne pourrais plus accepter la vie.

—Mais tu l'acceptais, la vie! protesta Simon. Tu es né d'une minute de décou ragement, c'est tout. De quel jour es-tu?

—Du huit février. En effet, quand le vieux est venu me chercher, je venais de recevoir trois factures et une menace de saisie.

—Et puis? demanda Maude, pressée d'entendre la suite.

Elle était assise sur la chaise qu'elle avait redressée.

—A propos, Monétaire, tu n'as pas réussi à la réparer? poursuivit-elle en tapotant le dossier.

—Je vous dirai cela après l'histoire.

—Donc, une fois converti, si on peut dire...

–On peut.

–Je suis revenu vers le parricide pour le ranimer et le rallier à ma cause. Dès qu'il fut conscient, je lui ai tout raconté. Il ne m'a pas cru, mais pas du tout. Il m'a dit que, de toute façon, ça n'avait pas d'importance car il allait tuer le vieux. Quand j'ai voulu lui faire comprendre que ça ne servait à rien, qu'il fallait éliminer le vieux d'"avant" la machine, il s'est enragé et m'a dit qu'il n'en était pas question, qu'il ne pourrait plus alors tuer père après père. Nous nous serions sûrement battus pour la possession de la machine si le vieux n'avait fait son apparition entouré de cinq adolescents. Nous étions tous au laboratoire. "Que faites-vous ici?" hurla-t-il. Le parricide leva son arme. Celle-ci vola en fumée avant qu'il ait pu s'en servir. J'avais déjà mis le pied dans la salle aux miroirs quand j'ai entendu: "Capturez-les!" Le parricide cria en me pointant du doigt: "Capturez-le, lui, surtout! Il veut vous détruire! Moi, je ne veux que vous tuer." Par je ne sais quelle coïncidence, notre chaise défectueuse et préréglée par le parricide commença à vibrer. J'ai sauté dessus. La chaise s'est matérialisée dans le saloon. Mais vous n'étiez plus là. Le seul moyen pour vous de quitter Death Valley Junction était par un de ces mini-trains. J'ai dirigé la chaise au devant à sa limite, 100 kilomètres plus loin. Et, je m'en suis rendu compte par après, je n'ai eu la vie sauve que grâce à ton erreur de pitonnage. Voilà. C'est tout!

—La maladresse est la chance des vainqueurs.

—Il ne reste plus qu'à retourner là-bas chercher les plans.

—Tu sais où ils sont?

—Le recul était une duperie du parricide. Tu te rappelles des courbes exponentielles d'accélération vers le futur?

—Non!!!

—Si.

—Elle fait un tour complet! J'aurais dû y penser!

—Tu étais trop excité.

—Ouais...j'ai bien peur que vous vous excitiez pour rien, fit Maude penchée sur le socle noir de la chaise. Je ne connais pas grand-chose en physique, mais j'ai bien peur que la chaise n'ait souffert de sa légère collision avec le train. Le cadran de la dynamique spatiale indique "0".

–Tant pis! Rendons-nous à Los Angeles en train. Nous y prendrons l'avion pour Montréal et nous aviserons bien, rendus là-bas.

***

Le train digérait, sans bruit et avec une gloutonnerie sans égale, les kilomètres et les kilomètres de chemin magnétique. Le paysage semblait pelleté et rejeté vers l'arrière.

La campagne était déserte. Chaque hameau, chaque village qu'ils traversaient étaient vides, abandonnés. Comme si une épidémie avait réduit les humains à l'état du papier journal. La même calamité avait effacé les 200,000 habitants de San Bernardino. Ce n'est qu'arrivés à Passadena qu'ils se heurtèrent à une concentration d'humains supérieure à tout ce que Maude avait vu au cours d'un voyage à Pékin.

Tout le grand Los Angeles était entouré de hautes clôtures électrifiées. Environ 75 millions de personnes étaient parquées dans 15 000 kilomètres carrés.

Aux abords de la ville, leur train fut soumis à une fouille. Ils n'avaient pas prévu cela. Il fallait cacher Maude. Elle et Simon coururent à quatre pattes vers les wagons arrières. Le monétaire retarderait les Yourm le plus longtemps possible.

Dans le troisième et dernier wagon, Maude et Simon trouvèrent un magasin de costumier. Des centaines de déguisements s'y mêlaient à des postiches de tous genres. Il y avait une foule d'accessoires de maquillage: fards de toutes sortes, moule électronique de masque en latex, etc.

—Oui, je suis seul. Je suis venu de Barstow.

Le Yourm qui interrogeait le monétaire tenait un carnet de photographies qu'il feuilletait en poursuivant son interrogatoire.

—De Barstow, hum?...

—Le vieux m'a fait savoir que je devais livrer ce train ce soir à Los Angeles.

—Je vois. Vous autres, faites monter les chiens. On va fouiller.

—Des chiens? NON! Je ne peux pas. Je...je ne supporte pas les chiens!

—Allons donc, je les supporte bien moi.

—Je...je ne sais pas. Quand je me suis réveillé ici, je ne me rappelais plus de rien. Tout ce que je sais c'est que, depuis ce temps, j'ai une peur bleue des chiens. Je ne peux pas tolérer leur présence.

—Ça suffit, tu n'as rien à craindre, ces chiens sont dressés pour être dociles à tout ce qui porte notre odeur. Mais...gare à ce qui pue l'étranger.

—Non, ne les faites pas entrer!

Le monétaire était tout en sueur. Il essayait de gagner du temps. Il se mit à trembler, puis fit mine de se sentir mal.

—Il va s'évanouir ce con! Allez chercher de l'eau. C'est bon, c'est bon, tranquillise-toi. On va laisser les chiens dehors. Le vieux nous avait prévenus que nous rencontrerions des obsédés.

Un Yourm arriva avec un pichet d'eau.

–Merci, ça va mieux. Ecoutez, il n'y a personne dans ce train, vous perdriez votre temps, et puis, je dois me dépêcher. J'ai mes ordres.

–Moi aussi, j'ai mes ordres.

Le Yourm se tourna vers les autres.

–Allons-y! Et sortez vos armes, on ne sait jamais. Quelqu'un pourrait s'être caché ici. A ton insu, évidemment, dit-il au monétaire avec un sourire sarcastique.

Cinq Yourm à l'uniforme sombre passèrent au crible le premier wagon. Ils soulevèrent chaque banquette, ouvrirent toutes les portes. "Ils ne seront jamais assez bien cachés", pensa le monétaire.

–Rien ici, mon capitaine.

–Capitaine?

Le monétaire notait pour la première fois les trois petits sabliers d'or cousus sur les manches de l'uniforme du Yourm.

–Oui, j'ai gagné mes galons lors de l'évacuation de Portland.

–Ah...

–Passons au wagon suivant.

Le second wagon était aussi vide.

—Au dernier?

—Ecoutez, ça suffit! Je n'ai plus de temps à perdre. Vous voyez bien qu'il n'y a personne!

—Je sais seulement qu'il y a un troisième wagon. Allez, enlève-toi de là.

Le capitaine fit coulisser la dernière porte. Simon était debout, tenant une perruque blonde à la main. Devant lui, une vieille dame assise sur un banc tentait de retenir sur son visage un masque en latex.

—Tiens, tiens, ne m'avais-tu pas dit être seul dans ce train?

—Il disait vrai, dit Simon d'une voix rauque. Je viens de surprendre cette vieille femme. Je l'ai vue pénétrer dans le train et l'y ai suivie pour la surprendre. Elle s'apprêtait à coller ce masque à son visage. Vigoureuse, la vieille, elle m'a asséné un fameux coup à la gorge.

—Elle doit être sur ma liste de personnes recherchées.

Il consulta son carnet.

—Pourtant non.

Il rangea ses photographies dans une poche.

—Elle doit être sur une nouvelle liste. Il va falloir nous suivre madame.

—Non, c'est moi qui l'ai trouvée. Elle restera avec moi.

—Je regrette, ce sont les ordres. Je dois arrêter toute les personnes suspectes.

—Où les emmenez-vous?

—Au quartier général, près du parc Griffith, la prison.

Le monétaire et son compagnon se retrouvèrent seuls.

—Il faut sortir d'ici en vitesse! grincha celui-ci.

—Je suis désolé que tu aies dû abandonner Maude. Je sais à quel point tu es attaché à elle. Mais ne t'en fais pas, nous la retrouverons. Nous la sauverons.

—Il ne m'a pas abandonné. C'est moi, Maude.

Elle reprit sa voix normale. Ils étaient maintenant hors de vue du barrage.

—Il faut quitter le train. Ils vont bientôt découvrir le subterfuge.

—Que, quoi, mais que s'est-il passé? Où est Simon? Et ton visage? Comment avez-vous pu en si peu de temps?

–Il y avait un des appareils dont se servent les maquilleurs de cinéma pour fabriquer les masques des doublures. Un casque-photographie balaye le visage et, en quelques secondes, un parfait masque de latex sort, déjà refroidi, de l'appareil. J'ai donc mis ses vêtements pendant que la machine exécutait sa copie. Simon, pour sa part, s'est contenté de ramasser le premier masque venu, celui d'une vieille dame. Il a enfilé le costume correspondant. C'est lui qui a pensé à la mise en scène du second masque pour éviter que les fascistes n'examinent de trop près le premier.

–Vous m'avez bien eu. Et c'est tant mieux.

–Oui, mais je crains que Simon ne puisse les mystifier bien longtemps. Vous n'êtes pas acteur que je sache.

–Tu as probablement raison.

–Il faut trouver un moyen de le délivrer.

–Pour l'instant, foutons le camp d'ici. Ils ne vont pas tarder à rechercher ce train.

Lorsqu'ils descendirent de la locomotive, ils étaient au nord-est du centre de

Los Angeles, dans la banlieue de Duarte Azusa.

–Dieu! L.A. mérite plus que jamais le titre de mégalopolis. Jamais vu une foule pareille!

–Et c'est rien. Pendant que nous attendions les Yourm dans le magasin d'accessoires, Simon a eu le temps de me dire qu'il y avait 665 millions d'individus partagés dans dix des plus grandes villes américaines qui contenaient le moins d'industries de pointe: Washington, Las Vegas, Miami, etc. Le Mexique, le Brésil, le Pérou, l'Argentine, l'Amérique centrale, les Antilles sont exsangues. Des nations cadavres. Une puce prise au beau milieu de l'encyclopédie Britannica se serait sentie plus à l'aise qu'un Terrien étranger dans une ville américaine. Et, en Europe, il semble que ce soit pire. Paris regorge de 90 millions d'habitants. Berlin de 110, Moscou en presse 140. Sans parler des 190 millions de Pékin et sa banlieue. Saturée, la ville entière semble se cristalliser. Plus personne n'y bouge. Le vieux a ratissé les campagnes, les forêts, les océans. Lorsque les villes concentrationnaires seront détruites et rendues inhabitables par les retombées radioactives, ces territoires épargnés, espère le vieux, seront son monde.

Maude conserva son costume de Yourm. Cela leur permit d'utiliser les transports réservés aux maîtres. Ils se dirigèrent vers l'ouest, vers Griffith Park. Ils eurent ainsi l'occasion d'observer la population. Tout était calme. Les gens semblaient bien portants et bien nourris, parfaitement heureux de leur sort.

Des camions de sonotech diffusaient de la musique un peu partout. Les Yourm faisaient tout pour leur rendre la vie agréable. En fait, la plupart des Yourm étaient sincères. Le vieux leur avait promis le paradis terrestre. Ils en seraient les artisans et les administrateurs. Leur nom serait cent fois béni, leur visage mille fois adulé.

Ils s'arrêtèrent à Elysian Park. Près de là, il y avait un cimetière d'automobiles isolé où, assurément, personne ne camperait. Ils y seraient tranquilles.

—T'en fais pas, Maude, je suis familier avec ce genre d'endroit. Je saurai bien nous aménager un petit coin.

—Pour l'instant, je m'en fais surtout pour Simon. Mais je suis d'accord avec toi, nous devons d'abord nous reposer. Demain nous irons à Griffith Park. Est-ce que c'est loin?

—4-5 kilomètres environ.

—S'il y a autant de monde qu'à Elysian Park, on le trouvera jamais.

Elysian Park donnait une bonne idée de ce que Woodstock aurait eu l'air si Nérhu, Simon Bolivar, Pancho Villa, Sitting Bull, Mao, Martin Luther King et les époux Rosenberg s'y étaient produits en spectacle, dansant successivement le Boogaloo et la passacaille en chantant du Led Zeppelin, du Trenet et du Schubert.

Des dizaines de langues, de nationalités et de races s'y mêlaient dans une fraternité d'attente messianique. C'est que le vieux leur avait un peu promis un monde nouveau. Et ils l'attendaient. Jamais auparavant un dictateur n'avait mis de l'avant un projet si ambitieux, n'avait déployé autant de moyens pour changer l'ordre des choses. Les migrations de 1945-49, c'était une réunion de famille pour la pâque comparée à l'épopée qu'ils vivaient. Non! Un dictateur qui prenait tant de peine à modifier le cours de l'histoire ne pouvait agir que dans l'intérêt de l'humanité. Le vieux, le Père, comme certains l'appelaient, leur bâtissait de nouvelles villes, modernes, confortables. Des usines-robots apporteraient enfin la civilisation des loisirs. Qu'étaient ces quelques mois d'exil et de vie communautaire forcée comparés à ce paradis éternel qui les attendait? De plus, on les traitait bien. Bien nourris et logés. Tassés, mais tout de même, on restait en famille... c'était déjà beaucoup.

Maude dormit mal. Elle pensait à Simon qui s'était sacrifié pour elle. Elle l'imaginait soumis à la torture par le vieux sadique.

***

Plus tôt dans la journée, dès que leur train avait quitté le poste de contrôle,

Simon avait été entraîné par le capitaine Yourm dans un glisseur quadriporteur où les attendaient deux simples soldats.

Afin de n'avoir pas à trop parler, il joua le rôle de la petite vieille terrorisée. Il restait courbé et entourait son cou d'une écharpe de laine.

—Je me demande ce que tu as bien pu faire? lui demanda le capitaine.

Simon se contenta de baisser la tête.

—Une vieille comme toi ne peut pas être bien dangereuse. Quoiqu'on ne sait jamais, certains climats font pourrir les fruits avant de les faire tomber.

Le quadriporteur pénétra dans le garage d'un édifice à bureaux sur Highland Avenue. Les deux simples Yourm suivirent Simon et le capitaine.

—Tu vas être interrogée par un colonel avant d'être conduite à Griffith Park. Si on t'y conduit... Je ne te le souhaite pas.

—Qu'est-ce que c'est Griffith Park?

—Ça, ma vieille, c'est un endroit où l'on sort allégé du poids des ans...futurs. C'est au quatrième, prenons l'ascenseur.

La montée parut interminable à Simon.

Le capitaine Yourm scrutait son visage avec minutie.

—Quel âge as-tu?

—Soixante-deux ans.

—Donc, tu es née en...

—1942, 1945 je veux dire.

Simon retint son souffle. Il sentait la bordure de son masque se décoller sous son écharpe. L'autre l'aurait-il remarqué?

—La nature t'a pas épargnée, pauvre vieille.

"Elle fait dans les soixante-dix ans", pensa le Yourm.

Ils descendirent au quatrième étage et tournèrent à droite.

—C'est ici. Entre là. Le colonel L.A. 28 est prévenu. Il t'attend. Il interroge toujours ses prisonniers en privé.

La petite vieille poussa la porte. Le colonel resta assis. Elle referma la porte derrière elle.

—Approchez, ma petite dame. Approchez, je ne vous ferai pas de mal. Pas tout de suite, en tout cas.

Simon fit mine de s'enfarger et tomba sur le sol sans se relever.

–Eh bien, eh bien... On ne sait plus marcher? On arrive à monter subrepticement dans un train, mais on trouve trop compliqué de faire dix pas sur un plancher de prélart.

Le Yourm colonel contourna son pupitre pour aider la sexagénaire à se relever. Il lui tendit le bras. Simon vit s'approcher les deux sabliers et une petite chaise brodés en or sur la manche du Yourm. Simon tira de toutes ses forces sur ce bras galonné. Il sentit l'uniforme se tendre et craquer. C'était la clavicule du gradé qui s'était fracturée. Le Yourm lança un cri qui se cogna contre le poing de Simon et retomba dans le fond de sa gorge. Le colonel s'écroula, assommé raide.

–Tout va bien, mon colonel? fit une voix dans le corridor.

–Tout est sous contrôle. La vieille est tombée, c'est tout, dit Simon de sa meilleure voix de Yourm.

Simon retira son costume et l'échangea contre l'uniforme noir. Il enleva sa fausse figure de latex. Par chance, la colle demeurait sur le masque plutôt que sur sa peau. Il appliqua la figure ridée sur le Yourm. Il lui enfila ensuite les vêtements de la vieille. Puis il sortit à la volée du bureau.

—Quelqu'un, allez me chercher des sels! Et puis non, j'y vais. La vieille s'est évanouie. Vous! Gardez cette porte! Que personne n'y entre avant mon retour!

Simon se dirigea vers les escaliers de secours.

—Mais, mon colonel, l'infirmerie n'est pas de ce côté!

A ce moment, le vrai colonel ouvrit la porte, le masque à la main.

—Arrêtez-le! C'est un traître, il m'a attaqué!

Simon se précipita dans la cage de l'escalier. Il descendit ceux-ci par coup de six marches. Il manqua de se briser la cheville au moins quatre fois. Parvenu au rez-de-chaussée, il tomba nez à nez avec un simple Yourm qui, apparemment, n'avait pas encore reçu l'alerte.

—Je peux vous aider, mon colonel?

—Oui, suivez-moi! Ils entrèrent dans la

première salle qui se présenta. Donnez-moi vos armes. Merci. Maintenant, nous allons échanger nos uniformes.

—Quoi!

—Epargne-moi le suicide, s'il-te-plaît, et dépêche-toi, fit Simon en pointant le laser.

Lorsqu'ils entendirent la voix autoritaire du colonel donner des ordres au premier étage, Simon portait de nouveau l'uniforme du simple Yourm. Il sortit prestement par la fenêtre. À peine à l'extérieur, il entendit le colonel qui criait:

—Allez! Cherchez, il ne doit pas être loin!

Il entendit aussi le Yourm, qu'il venait de quitter, sortir de la salle et crier:

—Il est ici, il est ici! Il vient de sortir par la fenêtre!

Simon entendit les autres voix du corridor répondre:

—Tu n'espères quand même pas nous avoir deux fois par le même truc!

—Mais je vous jure! protesta l'autre, il vient de sortir par la fenêtre.

Lorsque le groupe se pencha à la fenêtre, ils ne virent qu'une demi-douzaine de simples Yourm affairés à divers travaux.

—C'est pas la peine d'insister. Tu savais parfaitement qu'il y avait des tas de Yourm à travailler là.

—Mais je vous assure, colonel... Celui-ci, toujours en jupe, lui ordonna de se taire.

—Emmenez-le.

***

Une fois en sécurité, après avoir croisé une multitude de Yourm, Simon s'arrêta pour se concentrer sur le monétaire. Il était anxieux de revoir Maude. Le plus grand risque qu'il avait couru en se livrant aux fascistes, pensait-il, avait été de laisser Maude avec le monétaire. A chaque fois que son coeur sautait un battement, il se raisonnait en se disant qu'il était ridicule d'être jaloux de soi-même. Mais sitôt cette pensée née, sa rage de l'individualisme la décapitait.

—Je ne suis pas lui!

Plus la nuit approchait, plus les sauts

de coeur se faisaient fréquents. Il était temps de "voir" où ils en étaient... où ils étaient, rectifia-t-il.

La première image qui lui vint fut la banquette avant d'une voiture. Une couverte de laine y était posée. Le monétaire ouvrit alors la porte arrière. Il déroula une autre couverture, sur la banquette.

–Bon, c'est prêt.

Le visage de Maude apparut à Simon. Elle semblait inquiète.

–T'en fais pas Maude, personne ne va venir nous trouver ici.

–C'est pas de ça que je m'inquiète. Je pensais à Simon, il est si près et si loin en même temps. Quelle est la distance entre Elysian Park et Griffith Park?

–4-5 kilomètres, comme je t'ai dit plus tôt.

Cela suffit à Simon. "Il n'est pas moi à ses yeux... Et elle n'est pas loin", se répétait-il en marchant.

Il se mit à croiser de plus en plus de Terriens étrangers. Ceux-ci semblaient s'agglutiner autour de lui. Simon fut effaré. Il s'était attendu à voir des gens oppressés, enragés et désespérés. C'était tout le contraire. Les Terriens étrangers trépignaient de joie, ils rayonnaient. La population semblait ravie comme les premiers chrétiens sous la torture. Il s'était attendu à recevoir des regards torves, chargés de haine. Au lieu de cela, hommes et femmes le saluaient bien bas au passage; les enfants déposaient des pissenlits à ses pieds en récitant:

—Vous êtes les dents de lion qui mordez dans notre avenir et rugissez sa joie!

Après ce qui était arrivé à l'Afrique, Simon trouvait la comparaison plutôt ironique. Partout où passaient des Yourm, des dents de lion et des pissenlits étaient jetés à leurs pieds comme des rameaux. "Ces pauvres fous nous appellent leur dieu lion! Par quel odieux hasard ont-ils choisi l'animal auquel s'est identifié le Yourm lycantrope qui a détruit l'Afrique?"

Comme un fou, Simon se mit à courir dans les rues. Il cria à ses dissemblables qu'ils allaient à la mort, qu'il n'y aurait pas de paradis sur terre, pas pour eux. Il monta sur un glisseur pour s'en faire une estrade.

La foule, rivée à ses lèvres, écoutait en souriant à son idole venue mettre son enthousiasme à l'épreuve. Au bout d'un moment, Simon dut se faire une raison. Il se tut. Les fleurs tombaient toujours. Désabusé, il repartit pour rejoindre Maude. Il aperçut rapidement le cimetière de voitures où se trouvaient Maude et le monétaire. Ceux-ci, en l'entendant escalader la clôture, sortirent de leur voiture et se cachèrent derrière elle.

—Allez, ne vous cachez pas, dit Simon. Je sais que vous êtes ici.

—C'est Simon, chuchota Maude.

—Non, ce doit être un guet-apens!

—Laissons-le s'approcher.

Simon était maintenant à quelques pas d'eux. Ils pouvaient très bien discerner ses traits dans la clarté du quart de lune.

—C'est bien Simon!

Maude se leva.

—Simon! Nous sommes ici!

Elle se jeta violemment dans ses bras.

—Maude! Tu m'as reconnu! Tu vas bien?

—Huhum... Tout va très bien maintenant.

—Et moi, tu me demandes pas comment ça va? Nous nous demandions ce que tu devenais. Comment as-tu fait pour t'évader du parc-prison?

—Je n'y suis pas allé.

Simon leur expliqua ce qui s'était passé. Il insista beaucoup sur la débile euphorie des foules et sa tentative pour les désillusionner, les détromper.

—T'en fais pas, lui dit Maude, c'est normal... qui parle à tous parle à aucun.

—De toute façon, ajouta le monétaire, ce serait faciliter la tâche du vieux. C'est ce qu'il veut, une révolte. Non, ce qu'il faut, c'est attendre. Et quand le mécontentement viendra sourdre alors...

—Alors quoi? demanda Maude. On évacue 75 millions de personnes! On les apaise? Qui les apaisera? Moi?

—Oui, c'est ça! s'exclama Simon. Nous allons offrir au vieux un curieux problème, un insoluble problème!

Chapitre 19

−Gloire au vieux au plus haut des cieux!

Les années s'accumulent et le temps fait des bulles!

Les Yourm pullulent et nos coeurs en exultent!

Personne ne remarqua les petites épingles turquoise qu'arboraient les deux Yourm qui encadraient l'étrange personnage qui, depuis quinze minutes, haranguait la foule comme un prophète. Probablement parce que c'était la nuit et que la foule n'était éclairée que par des flambeaux.

Maude avait abandonné l'uniforme yourmesque depuis trois semaines. Depuis le début de leur attente, elle vivait sous les traits d'une femme aux longs cheveux noirs. Sa peau, assombrie par un fond de teint, lui donnait l'apparence d'une Mexicaine. Elle avait mis une semaine à concevoir et à écrire le texte. Une autre semaine pour l'apprendre par coeur et le réciter avec conviction. Puis ils avaient attendu le moment propice. Ce soir, elle était prête. Elle prononçait son sermon à Elisyan Park, sur une éminence assez élevée.

Depuis deux semaines, la nourriture manquait. Un sévère rationnement obligeait les familles à faire la queue des heures durant pour se procurer une boule de pain sans levure.

—Dieu m'a parlé!

Depuis quelques jours, des rumeurs circulaient. Le projet du vieux ne se réaliserait pas. Quelque chose avait mal tourné. Il ne pourrait même pas les rapatrier, racontait-on. Puis le rationnement était venu. La musique avait été coupée.

Conservation de l'électricité, leur avait-on dit. Cette énergie déclarée illimitée un mois plus tôt. Le plan du vieux entrait dans sa phase "D". Il voulait que les villes se révoltent.

—Il m'a fait part de vos craintes. Dieu sait tout de vous. De chacun de vous. Dieu est ubiquité. Il est partout! Les cieux lui appartiennent.

Maude leva les bras.

—Si les champs de blé lui appartiennent aussi, lança une voix dans la foule, qu'il nous donne du pain!

—Vous êtes son blé! La Terre est sa grange! Vous êtes l'énergie qui nourrira l'univers.

—Il n'y a plus de musique! On a tout coupé!

—Dieu veut que vous chantiez pour lui! Vox populi! Vox Dei! Voix du peuple, voix de Dieu.

—On préférerait ventre du peuple, ventre de Dieu!

—Patience! Dieu vous demande d'être patients. Ils vous a envoyé le vieux, son fils, sur la Terre, comme il avait envoyé les autres: Christ, Bouddha, Brhama, Mahomet, etc. Il s'est fait Christ pour vaincre la mort. Dieu, maintenant, se fait vieux. Il se fait vieux pour vaincre le temps! Ironie, me direz-vous? Dieu est la plaisanterie du monde, la farce universelle! Le rire!... La joie quoi!

Maude se félicitait de toutes ces années de journalisme pendant lesquelles elle avait argumenté avec les plus fins politiciens de son époque. Cela lui avait aiguisé la réplique.

—Et, pour vous prouver sa puissance, la portée de son regard et de son esprit, il va bientôt se manifester.

Un des Yourm à l'épingle turquoise se pencha vers elle.

—On peut te quitter maintenant? lui chuchota-t-il à l'oreille.

—Oui, je crois. Je vais pouvoir les tenir en haleine encore quinze bonnes minutes. Bonne chance!

Simon et le monétaire prirent un glisseur biplace pour se rendre au cimetière de voitures. Ensemble, ils avaient mis deux semaines à mettre au point leur invention.

Les caractéristiques exigées pour les besoins de sa mission rendaient l'hélicoptère pratiquement impossible à réaliser. Relativement puissant, il devait pouvoir soulever une charge de 150 kilos, sa taille ne devait excéder un mètre cube. Il importait qu'il fût à peu près silencieux. Il devait en outre être doté d'une pompe capable de gonfler le ballon qu'il tiendrait au bout de sa corde. Le ballon atteindrait 200 mètres de diamètre, une fois gonflé à bloc.

Ils y furent en cinq minutes. L'hélicoptère et le ballon (réduit à un mètre cube) les attendaient dans le hangar no 3. Ils connectèrent la fibre optique au cylindre. La fibre, couverte d'une gaine de plastique noire, allait alimenter la petite batterie de l'hélicoptère par le biais de cellules photoélectriques ultra sensibles.

—Si les maîtres japonais du cerf-volant voyaient le nôtre...

Lorsque l'ensemble, entièrement peint en noir, s'envola, un discret floppement se fit entendre, rappelant les tentatives de vol d'une poule. Le gros cylindre formant l'hélicoptère fut bientôt invisible dans le ciel étoilé. La longue fibre optique qui transmettait la lumière-énergie à l'hélicoptère se déroulait régulièrement. Simon et le monétaire retournèrent à Elisyan Park se mêler à la foule dont ils voulaient observer les réactions.

–Le dieu du temps veut vous mettre à l'épreuve.

Maude venait de voir Simon revenir.

–O tempores, spes quidem ulla mihi ostenditur... quelque chose comme ça. O temps, tu es ma lueur d'espoir. Oubliez mon latin et regardez le ciel! La lune! Ce héraut du temps! Le sablier céleste! Dieu vous met à l'épreuve et vous perdez aussitôt la foi. Dieu vous dit que le temps n'existe plus! Qu'importe alors que vous attendiez une semaine, un mois, une année pour atteindre le paradis. Il n'y a plus de temps, donc, il y a tout le temps. Le vieux est maître des paradoxes!

Maude sourit tout en penchant légèrement la tête, les mains jointes.

Simon tenait dans sa main la boîte de commande de l'hélicoptère. Sur son oeil droit, un mini écran radar lui rapportait sa position par rapport à la lune et à la foule. Il guida l'engin juste entre les deux, au centre de la lune, vu du parterre. Invisible par sa petitesse, le ballon n'attendait qu'une pression du doigt de Simon pour se gonfler jusqu'à voiler complètement la lune.

—Je vois, dit l'aveugle! J'entends, dit le sourd! C'est grâce à moi, aurait dû dire plus fort Jésus. (Ça aurait accéléré bien des choses.) Moi, je vous le crie!

Maude pointa son doigt vers la lune.

—Il n'y a plus de temps. Ce chronophare chronophage va disparaître.

A ce moment, le vieux se matérialisa à l'arrière du parc.

—Voulez-vous qu'on l'arrête? demanda d'une voix presque suppliante de servilité un adolescent.

—Certes non! Vous êtes fous? Même en mentant, elle me fait honneur. Où veut-elle en venir, cette folle? ajouta-t-il intérieurement. Elle ne va tout de même pas faire disparaître la lune. De toute façon, peu importe. Sa faconde finira bien par les irriter.

Simon avait vu juste. Le vieux était prisonnier d'un sérieux dilemme. Il voulait que la population le haïsse et se révolte. Mais il savait aussi que les Yourm n'étaient pas prêts à massacrer de sang-froid une population qui les adulait. Ils ne comprendraient pas son intervention dans ce "spectacle" qui, visiblement, arrangeait les choses au mieux pour les Yourm, lesquels en sortiraient assurément plus forts.

Les Yourm n'extermineraient qu'une masse révoltée.

—La lune vous fait ses adieux.

Simon poussa du doigt une petite manette. Le ballon se mit à grossir, à s'enfler... D'en bas, on ne voyait qu'une tache qui, lentement, couvrait le disque d'argent.

—Fini le point sur le i du temps!

La foule se mit à tanguer. Les doigts passaient du ciel au front, puis retournaient au ciel. Pendant une minute, un silence de terreur et de respect musela la foule. Celle-ci, in petto, retrouvait toute sa foi dans le vieux.

La voix de Maude cassa brutalement le silence.

–Mais dieu et le vieux père, son fils, a pitié de vous! Il sait ô combien vous êtes attachés à son oeuvre céleste. Il va vous donner la lune encore une fois! C'est bien le seul qui puisse le faire... Lune, reviens de dieu!

Simon pressa une seconde manette et le ballon se vida, laissant place à la blafarde hostie. C'était gagné! La foule apercevant le vieux à l'arrière se mit à genoux et le louangea. Simon fit revenir l'hélicoptère au cimetière, puis le fit s'autodétruire. De ferraille, il retourna à la ferraille.

–Rappelez-vous!

Elle pointa son doigt vers l'arrière.

–Le vieux a la maîtrise du temps.

Comme pour appuyer cette dernière déclaration, le vieux s'éclipsa.

***

–Tu as été magnifique, Maude! Quelle verve! J'aimerais bien lire de tes éditoriaux.

–J'aimerais bien en réécrire...

–Tu as été très forte! renchérit le

monétaire.

—Merci, merci...

—Quand tu as dit: "L'atmosphère sent le vieux", j'ai failli en crever de rire. De même quand tu as dit qu'en matière de temps, dieu était un vieux de la vieille!

—L'important, dit Maude, c'est que les voilà de nouveau tranquilles. Le vieux ne pourra plus reculer pour garder l'estime des Yourm. Il devra accomplir ses promesses.

—Je ne sais pas. Le vieux est comme un ressort tordu dont on ne peut pas prévoir les réactions.

Ils retournèrent tous les trois à leur campement. Ils avaient réussi à maintenir l'endroit isolé à l'aide d'un truc ridicule mais efficace: ils avaient répandu tout autour du parc aérien, un liquide qui exhalait une odeur pestilentielle d'un rare pouvoir répulsif. Lorsqu'eux-mêmes en approchaient, ils devaient s'insérer dans les narines de petits filtres ainsi qu'une goutte de clou de girofle qui paralysait leurs nerfs olfactifs.

C'est là, le lendemain qu'ils apprirent

par la radio que le vieux avait fait une déclaration par la voix des camions sonos.

—Un homme et une femme ont été surpris à voler des victuailles au marché central de Bell. La lune va vous être enlevée.

Le soir même, le vieux la fit exploser avec des missiles. Ses petits morceaux marièrent la Terre d'un anneau d'ivoire.

Chapitre 20

Il était difficile d'imaginer que cette oeuvre d'art pouvait être un horrible instrument de mort. Cela ressemblait à une porte tournante des grands magasins, sauf que ça ne donnait sur nulle part et que c'était beaucoup plus grand. Le haut et large cylindre pouvait contenir une vingtaine de personnes. Il était posé sur un socle noir. Des figurines, dont le style datait de près de cent ans, couronnaient le monument. Des ballerines de nickel à tutu de bronze tenaient dans leur main gauche un crâne coiffé d'un canotier et dont la bouche pendait grande ouverte. Dans leur main droite, elles tenaient un Y en verre dépoli, éclairé de l'intérieur par une ampoule bleue. Sur chaque Y, reposait une Terre en or.

Un adolescent se tenait assis à côté du cylindre. Autour de lui, une foule multi-ethnique piétinait les restes d'un gazon vert violent. Se trouvaient piétinés du même coup, des milliers et des milliers de dents-de-lion, de pissenlits. Personne n'en jetait plus sous les pieds des Yourm. En revanche, on leur en aurait volontiers fait bouffer par la racine. Lorsque des "clients" se présentaient à la porte tournante, l'adolescent pressait un des quatre boutons nacrés qui contrastaient avec le noir du socle. Qu'un Blanc se présente, il pressait "lune"; qu'un Amérindien, un Mongolien, un Péruvien se pointe, il appuyait sur "mars", la rouge. Les Noirs étaient envoyés dans l'espace intersidéral. Une touche "soleil" matérialisait les Asiatiques à proximité du grand luminaire.

Le parc Griffith était empli de ce que le vieux appelait pompeusement: "les criminels infinis". C'étaient ceux qui avaient eu faim avant les autres et avaient pillé pour survivre. Le vieux affirmait qu'ils avaient tué des Yourm GARDIENS DE LA VIE en perpétrant leur infâme forfait. Les gardiens de la VIE étaient des fascistes armés jusqu'aux dents qui empêchaient les Terriens désarmés et affaiblis par leur jeûne de piller les rares dépôts de nourriture. Il y avait eu en effet des émeutes au cours desquelles des Yourm avaient perdu la vie. Mais pour chaque Yourm blessé, mouraient cent, mille Terriens étrangers.

Simon avait "vu" un jour une foule de 200 000 personnes partir du parc Hancock et défiler le long du boulevard La Cienega. Ils prirent alors le Santa Monica freeway en direction du centre de Los Angeles. A leur tête se trouvaient une vingtaine de jeunes hommes de même grandeur qui, à l'aide de mégaphones, haranguaient la foule de slogans provocateurs. Les Yourm adolescents déguisés en "étrangers" récitaient mot pour mot les slogans préparés par le vieux.

—On veut l'ordre nouveau! Pas le

désordre mental...

–Moins de temps, plus de pain!

–C'est le temps de manger!

–On vous demande pourtant pas la lune!

Arrivée dans le centre de Los Angeles, la foule avait envahi un immense centre d'achats doté de trois super marchés. Dès qu'une première bordée de 6 000 personnes se fut compressée dans le centre, une centaine de Yourm se matérialisèrent sur le toit. Ils jetèrent des grenades à implosion au beau milieu des corps se pressant aux portes. De grands cercles de corps vidés d'oxygène se formèrent. Les morts se comptèrent par centaines. Ce fut la débandade.

–Besoin fait la vieille trotter et craint le lièvre tomber... dit Maude lorsque Simon qui avait suivi tout cela en arriva à ce triste épisode. Pour la première fois, Maude semblait découragée.

–Nous ne sommes même plus des lièvres. Des lapins d'abattoir, de laboratoire.

A sa demande, Simon poursuivit néanmoins sa narration.

Lorsque les Terriens étrangers voulurent se sauver, sortir du stationnement, ils se heurtèrent à de hautes palissades électrifiées que les Yourm, avec l'aide de ce qu'ils appelaient "Tout le temps voulu", avaient bâties.

Ce fut le premier camp dit "de l'infinie criminalité". Lors de l'attaque, deux Yourm étaient morts. Le premier était tombé du toit en visant au laser un enfant qui s'était réfugié sous une corniche. Le deuxième s'était électrocuté en branchant le courant sur la palissade.

Le vieux en fit des martyrs. Ils constitua ses camps de l'infinie criminalité. On y parquait ceux qui étaient accusés d'avoir participé à l'assassinat de Yourm. En gros, cela signifiait ceux qui tentaient de manger plus que les trois bouts de pain et la pomme qu'on destinait chaque jour aux Terriens étrangers.

Chapitre 21

Simon brûla la jambe gauche d'un pantalon d'uniforme de simple Yourm. Il déchira une manche de la veste, puis endossa le tout par dessus un autre uniforme, foncé celui-là. Un uniforme de caporal fasciste. Le monétaire lui asséna un solide direct du droit au visage. Avec beaucoup d'attention, Maude lui fit une balafre au cuir chevelu avec un laser. Ils chargèrent ensuite un brancard à air comprimé dans un glisseur magnétique. Ils se rendirent alors à Elisyan Park où, quotidiennement, depuis que Maude y avait débité son panégyrique, le vieux exhortait ses ouailles, les Yourm, à la violence.

Cette fois, la journaliste était déguisée en bossue, la bosse étant en fait un générateur de puissance pour le laser.

—Tu devras savoir t'en servir quand le besoin s'en fera sentir.

—N'aie pas peur pour ça.

—C'est pour toi que j'ai peur.

—T'en fais pas. Je resterai l'inoffensive bossue jusqu'à ce que tu réussisses et que je me retrouve en Australie.

—C'est pour moi une véritable torture, tu sais... Si je réussis, je ne te reverrai jamais plus.

—Tu m'oublieras...

—Non, je ne peux pas t'oublier. En plus, il ne FAUT pas que je t'oublie. Cela voudrait dire que tout recommencerait, que je redeviendrais le vieux. Tout cela n'aurait servi à rien. Il FAUT que je me souvienne! C'est toi qui m'oublieras.

—Tu m'auras rendue heureuse et ça je suis sûre que ça me restera.

Ce que Maude ne dit pas à Simon, c'est que s'il réussissait, elle mourrait sûrement de soif dans le désert rouge d'Australie puisqu'il n'y aurait personne à la station écologique. Maude ne voulait pas infliger ce douloureux dilemme à son compagnon.

—Tu crois que ça arrangera les choses, si on se dit adieu?

—Si c'est vraiment après la mort qu'on se revoit, ça arrangera peut-être bien des choses. Ici, en tout cas...

—A moins que la mort t'apprenne qu'il n'y a rien de tout ça...

—Ouais... On ne sait jamais... A l'au-delà donc.

—Tu viens Simon, on va être en retard.

—J'arrive.

—Simon! Je...

Ils s'enlacèrent.

—Chut... une minute de silence... pour que l'éternité prenne la parole.

—Tu viens Simon?

—J'arrive... Adieu Maude.

—Adieu.

—Salut Maude!

—Salut Monétaire...

Maude les regarda partir vers le parc. Le monétaire poussait la civière sur la-

195

quelle Simon venait de s'étendre. Elle ajusta les lentilles cornéennes longues vues que Simon lui avait fabriquées, de façon à ce qu'elle ne perde rien de ce qui allait se passer.

Le vieux avait déjà commencé son discours lorsque le monétaire arriva dans le parc, poussant la civière sur laquelle Simon venait de s'étendre.

–Et que veulent-ils? L'anarchie? Non! Pire, la démocratie! Le communisme! L'anarchie déjà... Mais la démocratie, jamais! Le communisme? A mort! Ils ne sont pas prêts à l'anarchie! Regardez ce qu'ils ont fait en régime politique. Imaginez en anarchie! Ils sont incapables de faire fructifier les ressources de la planète. Le gaspillage est leur mot d'ordre. Combien de fois les rires ont masqué le doux ronron de ta chaise à roulettes. Combien de fois ont-ils rempli de détritus tes puits éoliens? Non! Les Terriens sont incapables de penser "fruit", ils pensent "manger". Regardez-les en ce moment pleurer pour un bout de pain, alors qu'on leur bâtit le paradis! "Incapables de vivre serait une bonne façon de résumer leur état."

Mais je vais leur donner une dernière chance. Une dernière chance à cette planète, berceau de l'humanité qui se transforme petit à petit en cercueil. L'homme croque-mort-charpentier doit être arrêté!

Il fit une pause.

—New Orléans va être rayée de la carte, avec elle 62 millions de croque-morts.

L'assistance bourdonna comme une ruche abordée sans délicatesse aucune par un ours quêtant du miel.

—Je sais! Vous auriez raison de protester si ça n'était pas pour leur propre bien. C'est dans l'intérêt de l'humanité que je, que tu vas faire cela. Il faut que cessent ces révoltes pour que l'on puisse enfin se concentrer à l'édification d'un nouvel ordre!

—Quel nouvel ordre?

La foule se tut comme si la ruche était tombée à l'eau, entraînée par un lourd boulet.

Simon était étendu sur la civière et n'avait pas prononcé un mot. Personne ne doutait qu'il fût blessé. Il semblait inconscient. Des jets d'air projetés par des centaines de minuscules trous le supportaient. La température de l'air était contrôlée par ordinateur de façon à se maintenir constamment à la température du corps de Simon. Un champ magnétique isolait aussi les autres parties de son corps. Des lentilles opaques lui voilaient les iris. Il s'en trouvait physiquement coupé du monde extérieur. Son pouvoir de concentration en était fortement accru. Il "voyait" le vieux sous des dizaines d'angles. Il sentait son corps soutenu par des centaines de pieds. Le poids de multiples têtes pesait sur ses épaules.

Pour ne pas disperser son énergie, il concentra ses efforts sur une soixantaine de Yourm. Il les choisit en fonction de la malléabilité de leur caractère. Les minutes d'indécision de sa vie. Il y en avait eu des tas. Il n'eut qu'à choisir les hôtes de façon à répartir les "intervenants" au sein de l'assemblée.

—Oui! Quel ordre? demanda un second Yourm, manipulé par Simon.

198

Pendant que Simon parlait carrément par leur bouche, il transmettait aux 58 autres des images du monde yourmesque qu'ils ne connaissaient pas. Il leur montra la misère à laquelle l'ordre nouveau acculait les populations terrestres. Il leur montra Pékin, Bombay et Rome. Un "nuit et brouillard" repris, modifié et multiplié, à tous les points de vue.

Le monétaire veillait à ce que personne ne touche Simon. Il ne fallait pas que sa concentration se relâche un seul instant.

—Celui que nous sommes en train de leur préparer à ces ingrats, répondit le vieux.

—Et regardez comment on nous récompense! cria un gradé fasciste, s'apprêtant à lever la jambe de Simon, pour faire une démonstration.

—Cruellement blessé! attesta le monétaire pour empêcher l'autre de toucher Simon.

Maude avait frissonné en voyant le fasciste s'approcher de son ami. Mais le monétaire l'avait écarté juste à temps. Maintenant, elle surveillait ce même fasciste qui dardait un oeil scrutateur, plein de méfiance, vers le monétaire et le blessé. Maude ne le quitta plus des yeux.

–Où? Où est ce nouvel ordre? Est-ce qu'aucun d'entre moi l'a déjà vu?

Le Yourm se tourna vers la foule. Cinquante-neuf Yourm dispersés se levèrent.

–Non! Qu'on nous dise où!

Sur ces cinquante-neuf, une vingtaine l'avait fait spontanément. Simon continuait de les bombarder d'images. Cela ne leur mettait que des doutes à l'esprit, mais cela suffisait chez plusieurs qui réagissaient impulsivement. Chez certains, Simon sentait que ces doutes s'ajoutaient à d'autres déjà présents et créaient un sentiment de confirmation visionnaire. Un Yourm crut recevoir l'esprit saint et se leva en criant que "le vieux les avait trompés et que pour sauver notre âme, il fallait..." Simon l'avait fait taire. Les Yourm dans leur immense majorité n'étaient guère sensibles à ce genre d'arguments.

Simon fit voir aux Yourm l'histoire de ce jeune père de famille chinois qui avait voulu piquer une demi-douzaine de pêches dans un verger en banlieue de Passadena. Le pauvre homme fut entraîné dans Griffith park, puis fut "déporté" à proximité du soleil après avoir assisté au départ de sa famille pour la même brûlante destination.

Il était maintenant temps pour Simon de se concentrer ailleurs, ceux-là lui étaient complètement acquis.

—Qu'on arrête ces meurtres!

—Où sont passés les fruits, les légumes et les animaux?

—Ouais... Il y en avait assez avant qu'on arrive, que s'est-il passé?

Le vieux était furieux.

—Je vous ai fait lire les rapports à ce sujet! La sécheresse en Russie, en Amérique et en Europe a été dévastatrice. Les industries ont été ralenties par la destruction de l'Afrique. Le tiers du pétrole mondial s'y trouvait. Mais c'est fini le pétrole, finis les carburants empoisonneurs. Il est grand temps que les sources d'énergie que tu as toujours voulu privilégier prennent place. Le soleil sera notre nouvelle Arabie. L'eau et les marées remplaceront le nucléaire! Fini le nucléaire!

—Détournez pas la discussion avec votre programme énergétique! Il y a assez longtemps que vous nous rabâchez ça!

—Ah oui! Et à propos du nucléaire... Avec quoi New Orléans est-elle supposée être rayée de la carte? C'est pas la maison de paille de petits cochons et on n'est pas des loups!

A chaque fois que Simon percevait une ouverture d'esprit chez un Yourm, il s'y engouffrait, se frayant un chemin jusqu'au coeur où il déposait les germes de la révolte. Le vieux pensait encore pouvoir contrôler la foule. Il appela des fascistes à l'avant pour témoigner de l'ingratitude et de la folie des Terriens. Il fit même appel à Simon qui ne broncha pas.

—Voyez! Même inconscients, les combattants pour l'ordre nouveau viennent écouter la vérité! Ecoutez-la vous aussi!

Simon envoya alors un message au monétaire: "Vas-y mon loup!" Le monétaire sortit d'en-dessous du brancard une épaisse liasse de feuillets; des fac-similés des plans politiques du vieux! Les soixante premiers convertis vinrent sous l'inspiration de Simon, distribuer les feuillets. Le dessous du brancard en cachait environ huit mille exemplaires imprimés sur du mince papier bible, une idée de Maude.

Le fasciste qui les surveillait depuis quelques instants dégaina son laser. Il se fraya difficilement un chemin jusqu'à la civière. Une fois à ses pieds, les huit mille copies avaient été distribuées. "Trop tard pour une confiscation. Mais peut-être pas pour une arrestation." Le brancard était entouré de Yourm. Il était difficile de repérer le propriétaire. Le locataire, par contre, y était toujours étendu. Il s'approcha de Simon. Maude à deux cents mètres de là pointait son laser en sa direction. Le Yourm se pencha vers le visage endormi. Il approcha son arme du visage de Simon. Il retira le cran de sûreté. Celui de Maude était déjà enlevé.

—Pas de réaction, dit le Yourm. Il est vraiment inconscient. Ils ont dû s'en servir comme couverture.

Il se retira mais resta dans les parages à surveiller.

Maude remit le cran de sûreté mais ne lâcha pas des yeux le Yourm fasciste.

—Mais qu'est-ce que vous faites? De l'ordre! Ecoutez ce que nos braves officiers ont à vous dire.

Le parterre n'écouta pas. Il se soulevait comme le dos d'un chat affrontant un rat pour la première fois. Chacun reconnaissait l'écriture du vieux qui était aussi la leur, si on excepte quelques différences dues à l'âge et que tous étaient aptes à reconnaître.

Il y aurait peu de mots pour décrire leur stupeur, leur dégoût! Eisenhower les a probablement tous prononcés en découvrant les camps de concentration.

—A mort le vieux! cria une voix.

Les Yourm hurlaient à s'en réunir les parois pulmonaires. Un faisceau de laser éclaira pendant une fraction de seconde toutes ces mâchoires affamées. Le vieux devint écarlate.

—Vendus! Vire-capots! Papelards! Traîaîaîtrrres! Qui que tu sois, toi qui as organisé tout cela, tu paieras pour tous nos blessés qui se sont sacrifiés pour l'ordre yourmesque! Il pointa du doigt vers le blessé qui gisait un instant auparavant dans la civière mais il n'y vit qu'un corps gisant en travers. Un mince filet de sang nourrissait de rouge le dos de l'uniforme. Le vieux n'eut pas le temps d'y faire attention. Il fit signe aux adolescents et aux fascistes restés fidèles de se grouper autour de lui. Ils disparurent avant que la foule ne les lapide.

Chapitre 22

Dès que le vieux avait montré des signes d'exaspération, Simon, prestement s'était changé. Dès que le fasciste soupçonneux, qui se tenait non loin, le vit se relever et dévoiler son costume sombre sous ses loques, il s'approcha, l'arme au poing. Simon marchait déjà vers l'estrade lorsqu'il aperçut l'éclair, il se retourna et vit le corps du Yourm tomber sur la civière, le laser pointé dans sa direction. Il regarda vers l'autre extrémité du parc, où ils avaient laissé Maude. Il ne vit pas celle-ci lui envoyer la main. Elle était trop loin, mais il lui fit quand même un signe de main.

Dans la pagaille qui régnait, nul autre que le fasciste moribond ne remarqua la métamorphose de Simon. Celui-ci monta sur l'estrade au moment où le vieux rappelait à lui ses fidèles. Le vieux s'apprêtait à revenir dans le passé, au début de l'assemblée, afin d'éliminer un à un les indésirables intervenants dont il avait soigneusement noté la position.

Sur l'estrade, Simon attendit. Il fut le sixième fasciste que le vieux embarqua. Le sixième ou le premier, ça n'avait pas d'importance. L'important était qu'ils se retrouvent seuls sur la chaise. Pour la deuxième fois, il se retrouva assis sur les jambes du vieux. Il sentit la chaise vibrer sous son inventeur. Tout alentour devint flou. Ou plutôt la réalité semblait se disloquer comme vue au travers du kaléïdoscope. La chaise semblait nager dans un bol de céréales dont les flocons seraient remplacés par des pièces de puzzle du carnaval de Rio et dont le lait serait constitué d'une peinture marbrée de rose, de jaune et de turquoise. Mais il n'y avait pas de peinture autour d'eux. Ni rien d'ailleurs. C'était le vide temporel, donc, spatial. A plusieurs points de vue c'étaient les limbes. La rédemption exceptée. Hors de la chaise, point de salut!

Dès la mise en marche de la chaise, Simon dévoila son jeu.

—Je m'excuse, oh, et puis, en fait, je ne m'excuse pas... mais ce n'est pas où ni quand nous allons.

Simon, se tenant au bras gauche de la chaise, se pencha vers le vide insondable pour atteindre le socle et changer la programmation.

—Ah, vraiment?

Le vieux saisit les jambes de Simon qui couvraient les siennes et le fit basculer par-dessus bord. Simon trouva la force de maintenir sa poigne sur l'accoudoir d'osier. Il y enfonça ses doigts. L'osier craquela.

—Je dois dire que je suis enchanté de faire ta connaissance, dit le vieux, sarcastique. Simon, j'imagine? Je veux dire Simon tout court. Vois-tu...

Le vieux manipula une commande à distance et programma: "cycle infini".

–Bon, là, on a tout notre temps pour parler, si j'ose dire. Vois-tu... moi aussi je suis du milieu. Tu l'as certainement compris, les vieux, comme tu m'appelles, se sont multipliés. Jour après jour, le milieu change. Aujourd'hui c'est moi. J'ai pensé un moment, oh, bien court, de revenir pour t'effacer de la carte, te laisser en 1977. Car ton pouvoir, nous nous en sommes rendu compte, peut être dangereux.

–Mais il y aurait eu un autre milieu, siffla Simon, son torse pressant ses poumons sous le poids de la traction.

–Exact! Mais je te conseille de garder tes forces. Conseil égoïste, il est vrai. J'aime déguster la peur de mes jeunesses. Masochisme? Non, un rêve de psychanalyste. Il est temps que je te dise ce qui t'attend.

Simon entama un mouvement de balancier avec ses jambes. Ses doigts s'enfonçaient de plus en plus dans l'osier qui exprimait son désaccord à grand renfort de craquements.

–Tu vois, nous sommes en ce moment nulle part et jamais. Si tu tombes et, tu vas tomber, tu restes ici pour l'éternité, sans possibilité de retour! Dès le moment où tu lâches la chaise, tu disparais à mes yeux. Tu comprends pourquoi je veux que tu économises ton énergie. Savourrrrer, savourrrrer... Tu m'as offert sur un plateau la seule solution possible à ton problème. Tu resteras ici pour toujours, sans pouvoir me nuire et sans que d'autres milieux n'apparaissent.

Les jambes de Simon montaient maintenant suffisamment haut pour lui fournir l'élan nécessaire. Il rapprocha sa main gauche de sa droite, puis ouvrit celle-ci au moment où ses pieds entamaient leur remontée vers la droite. Son corps pivota autour du dossier. Il mordit avec vivacité le col brun de l'uniforme du vieux. Le tissu laineux lui donna des frissons le long de l'échine. Ainsi sécuritairement amarré, il se hissa sur la chaise et se laissa glisser le long du dos courbé. Le ventre du vieux pendait au-dessus du vide. Pendant un moment tout ce gros corps sembla vouloir voler devant la chaise. Puis il disparut aussi rapidement qu'une bouchée de poisson entre les mâchoires d'un chat.

Un peu avant de disparaître, le vieux avait gueulé:

—Tu ne me détruiras pas avec cette chaise!

Puis, juste comme il tombait, il cria, désespéré:

—Trouve un moyen! Détruis-moi!

Apparemment, le vieux ne trouva pas rafraîchissante l'idée de hanter rien, nulle part et à aucun moment pour le restant de rien. "S'il n'y avait encore personne en enfer, en voilà un", se dit Simon. Et il a fallu que ce soit moi.

Simon comprit tout de suite ce que le vieux avait voulu dire. Cette chaise était différente. Le vieux avait, à un moment donné, décidé de parer à un éventuel enlèvement de sa chaise dans le but de le tuer avant sa conception. Elle n'était pourvue que de deux programmations possibles: A, Los Angeles + −100 kilomètres; B: Montréal, 36kp + −0, temps zi 8op. Il pressa B.

***

—Appelle-moi pas ton vieux! De ta bouche ça pue l'obscénité!

—De toute façon, tu es pris ici pour quarante minutes.

—Qu'est-ce que tu racontes!

—J'ai réglé la machine de façon à ce qu'elle reste ici deux heures, puis elle est libérée pour quinze minutes, au temps absolu de la chaise, pendant lesquelles...

Le parricide s'interrompit.

—Mais qu'est-ce que... un fasciste aux commandes d'une chaise? Et sans armes?

Le monétaire s'approcha de Simon, l'air menaçant. Celui-ci en pressant B s'était retrouvé dans le laboratoire du vieux au moment où le monétaire et le parricide s'y disputaient.

—Arrête, c'est moi, Simon!

—Oui, t'en fais pas, moi aussi, c'est Simon.

Le parricide aussi s'avança.

—Faisons-lui son affaire, on réglera

notre différend après.

–Mais non! Arrêtez! J'étais avec vous à Death Valley Junction!

–C'est bien toi alors. Maudit fasciste!

Le monétaire leva la télécommande en ébène et fit tournoyer son bras. Simon écarta juste à temps sa tête de l'orbite. Le parricide ne fut pas aussi prompt. Il tomba raide assommé.

–Ecoute! C'est vraiment moi. C'est moi qui étais avec lui quand tu es venu nous retrouver dans l'avion.

Le monétaire fit une pause, presque convaincu. Cela laissa le temps à Simon de se concentrer.

–Et qu'est-ce qui m'empêcherait alors d'assommer Simon le traître! Je t'ai entendu au bar, par le vidéo, quand tu parlais avec Maude de m'empêcher de devenir riche.

–J'ai pas à trouver d'excuses. Je pensais ce que je disais.

Simon n'arrivait pas à rejoindre l'esprit du monétaire. Un moment d'inattention et il se retrouverait assommé aux pieds du parricide.

–Ecoute, je vais faire un arrangement. Je vais te montrer deux manuscrits. L'un d'eux contient les plans de la chaise. Après avoir lu l'autre, tu seras libre de faire ce que bon te semblera. Je ne m'y opposerai pas.

***

Ils se rendirent aux pupitres de travail dans l'autre pièce. Simon avait parié et gagné. Le monétaire lut attentivement les plans politiques du vieux. Il en fut atterré. Il fut converti pour une seconde fois.

–Bon! allons voir les plans de la machine temporelle maintenant, dit Simon. Tu décideras alors ce que tu veux faire.

–C'est tout décidé! Nous allons revenir dans le temps, ici, et tuer le vieux d'AVANT.

–NON! Salauds!

Le cri provenait de la salle aux miroirs. Le parricide s'était réveillé et brisait toutes les psychés. Les morceaux volaient sans élégance vers le sol.

–Je suis encore ici, calme-toi.

214

–Et moi aussi!

Le parricide vint les rejoindre.

–Ah! Ah! ah ah. Vous avez compris qu'il fallait tuer le vieux! Le tuer encore et encore.

–Non une seule fois, mais la bonne.

–Vous êtes fous, vociféra le fou.

C'était au tour du vieux d'entrer en scène, entouré de sa garde d'adolescents.

–Que faites-vous ici? Emparez-vous d'eux!

–Capturez-les, eux surtout! dit le parricide sans la moindre arrière-pensée de déjà vu.

Simon et le monétaire se ruèrent vers la salle aux miroirs. Le monétaire eut juste le temps d'embarquer sur "sa" chaise qui s'évanouit en l'emportant. Simon sentit un premier rayon l'effleurer. Puis un deuxième. Il saisit un grand morceau de miroir sur le sol. Tel un gardien de but de hockey, il arrêta les volées de laser les unes après les autres. Les faisceaux se brisaient sur son bouclier et rebondissaient sur les débris restés collés au mur. La salle rayonna de traits mortels circulant en tous sens. En moins de cinq secondes, trois des adolescents furent tués. Simon avait sur le dos une longue ligne rouge qui lui cuisait les nerfs.

—Lancez-lui une grenade, idiots!

La grenade ovale rebondit aux pieds de l'assiégé. Sans lâcher la plaque vitrée, il saisit l'oeuf de mort et le lança le plus loin qu'il put vers le laboratoire. Les deux adolescents et le parricide furent aspirés en premier, suivis d'un centimètre par le vieux. Comme des poupées de chiffon, leurs corps se soulevèrent du sol, aspirés par la tempête implosive. Puis tout s'arrêta. Ses cheveux noir ardent retombèrent sur son front, sa respiration se fit plus légère. Il se leva et regarda le fouillis autour de lui.

—Quel gâchis! Faut s'y faire pour le croire... avec tout ce qui arrive sur Terre par les temps qui courent. C'est la vie... la mienne en tous cas.

Il contourna l'étoile humaine reposant entre les deux accélérateurs en spirale. Avec l'aide des plans, il figura comment ajuster l'appareil. Il découvrit le code qui permettait de pénétrer la programmation de l'ordinateur. Il y inscrivit: Mtl, 25kp + –0; temps 2024, premier juillet, cinq hrs. Il réalisa soudain qu'il ne savait pas exactement à quel moment le vieux avait conçu son invention. Sur les plans, la dernière mention de date était le vingt-huit juin 2004 mais ce n'était qu'une notice. La chaise avait pu être prête avant cette date. Il reprogramma pour le mois de juin 2002.

En s'asseoyant sur l'osier, il fut pris d'un accès de mélancolie. Il quittait cette époque à jamais. Jamais plus, il ne reverrait le monétaire. Le lui-même autre qu'il avait fini par apprécier, ce clône temporel, comme avait dit Maude.

Simon fit démarrer la chaise et l'envoya en cycle infini, histoire de se délasser l'esprit en toute sécurité pendant ce temps mort.

Maude lui avait aussi dit, en parlant de leur rencontre, que les meilleures choses n'avaient qu'un temps. "Je penserai à toi, pour tuer le temps. Par les temps qui courent, il est bon d'avoir un ami. Aie du bon temps là-bas! Et, rappelle-toi! Le vieux a fait son temps, il ne le refera pas deux fois. Tu ne seras pas CE vieux."

Maude et lui avaient longuement parlé de cela: se souvenir. C'était la seule chose importante. Lorsqu'il allait se retrouver chez lui le premier juillet 1977, il faudrait qu'il se rappelle de tout. Sinon, ça allait recommencer, il allait revivre de la même façon tout ce qui avait amené le vieux à sa monstrueuse folie.

Ils avaient dit en blaguant que leur amour serait plus fort que le temps. Simon serait le seul à savoir. Il pressa le deuxième bouton: MTL 254 kp + −0, temps 2002, juin.

Chapitre 23

Montréal avait beaucoup changé. Les flancs du Mont-Royal étaient hérissés d'édifices aux formes courbes et d'une hauteur qui rendaient désuets les deux observatoires du sommet. Il restait néanmoins beaucoup d'espaces verts, gloire de Montréal, pensa Simon.

La maison du vieux était un de ces grands logements sur la rue Jeanne-Mance, face à la montagne. La croix, ce soir-là, était réchauffée d'ampoules vertes. Simon décida de marcher un peu en attendant le petit matin.

La chaise s'était matérialisée juste

devant la maison. Il la camoufla derrière la haie qui entourait le balcon. Vers sept heures, il repassa pour la quatrième fois devant la façade de pierres blanches. "S.Y. Inventeur. Lisbeth Tyr, conseillère en ectogénèse" Simon remarqua la plaque dorée pour la première fois. Lisbeth? Qui est cette Lisbeth? Collaboratrice? Non... probablement une co-locataire... Elle doit habiter l'appartement du dessus. Non. Il n'y a qu'une adresse.

Simon s'assit sur un banc en face de la maison, dans le parc Jeanne-Mance. Il s'y assoupit pour y être réveillé une demi-heure plus tard par les chants constellés de fausses notes d'un ivrogne. Il reconnut celui-ci lorsqu'il s'avança vers lui. C'était le vieux. Il puait l'alcool mentholé.

–Tiens, tiens... Mon album de famille qui s'est égaré dans l'parc.

Le vieux titubait. Il s'accota contre le banc et se pencha vers le visage de Simon.

–Mais qu'est-ce qu'il fait ici, mon album? J'ai dû oublier de fermer la maison à clef. Tu bouges? Mais t'es pas, hic! supposé! J'ai jamais inventé d'album de famille qui bouge... En autant que tu tournes pas la page. J'ai une binette sympathique sur celle-là.

—Je ne suis pas une photo.

—Tiens, tiens... Hic! Ça parle en plus.

—Qu'est-ce qui t'est arrivé? Pourquoi t'as bu?

—Bon! VOILA, ça fait sa déclaration! C'est la voix de ma conscience! Va te faire voir ailleurs, j'en ai rien à faire d'une conscience. Je veux rester inconscient. Pourquoi penses-tu que je me saoule? Quand je pique une brosse, je ne me rappelle pas de Lisbeth.

—Lisbeth?

—Si on était pas allés aux E.U., tu me diras? On avait tous les deux besoin de vacances! On a droit à une petite vacance tous les dix ans, non? Et ici, je ne m'occupais jamais assez d'elle, ou elle de moi. Trop occupé le couple. Jamais de vacances! Alors on est parti. Alors, toi, tu vas me dire que j'aurais dû emporter plus d'argent? Bon! D'accord, d'accord, je lui ai dit que j'm'étais fait voler au p'tit restaurant dans l'Orégon. Ben... j'allais pas lui dire que j'avais pas réussi à vendre mes dernières inventions. On a tout dépensé trop tôt. En Arizona, on n'avait plus un sou. De toute façon, il n'y en avait pas d'invention: tous mes efforts depuis deux ans visent la machine temporelle. J'allais tout de même pas lui dire que je voulais revoir ma mère!

Simon écoutait avec surprise et déférence la confession du vieux.

—C'est là qu'elle est tombée malade, à Phoenix. Ils ont dit que c'était pas grave. Trois petites roses et deux jaunes toutes les quatre heures. On est remonté le plus vite possible. Mais les 40 $ pour les p'tites pulules hic! pilules, avaient vidé son portefeuille à elle aussi. L'auto-stop jusqu'à Albuquerque fut très pénible pour Lisbeth. 39 degrés, c'est pas fait pour calmer les fièvres. A Albu hic! elle délirait. Elle tenait plus debout! Et ils ont refusé de la soigner! "Vous avez pas de quoi payer", qu'ils ont dit. "Mais... vous... ce n'est pas payé par le gouvernement?" Les hôpitaux, qu'ils m'ont dit, n'étaient plus étatisés depuis l'arrivée de Rotrib Frokin au pouvoir. "La santé est une affaire privée", qu'il a dit. Et ma Lisbeth est partie, partie...

Le vieux se mit à pleurer.

Simon avait trouvé en substance la réponse à toutes ses questions.

–Il faut faire tomber cette anarchie étatisée! cria le vieux, en se soulevant avant de retomber sur le gazon imbibé de rosée. Faudra bien que quelqu'un mette de l'ordre là-dedans!

Il voyait maintenant quelle voie avait empruntée l'esprit nimbé d'alcool du vieux pour se rendre à la folie destructrice qui fera tant de ravage deux ans plus tard.

–Ecoute, il faut que tu te resaisisses! Si tu ne le fais pas, tu vas te transformer en un monstre que je n'arriverais même pas à te décrire.

–Trouve-z-en des meilleures, conscience amateur! "Si t'arrêtes pas de boire tu vas devenir un monstre", franchement... Y me semble, de toute façon, t'avoir dit de t'en aller! Fous-moi la paix.

Il se leva et sortit un flacon de peppermint schnaps de ses poches. Il en ingurgita une grande lampée.

—Ça devrait te faire partir.

—Ecoute!

—Fous-moi la paix!

—Oui, fous-lui la paix.

Un frisson parcourut Simon de la tête aux pieds. Sur le balcon de la maison blanche, de l'autre côté de la rue, se trouvait un vieux bedonnant entouré de cinq adolescents.

—Maudit album! murmura le vieux saoul. Je t'avais dit de pas tourner de page! Il était maintenant étendu sur le gazon, enlaçant la bouteille collée contre sa joue, les yeux fermés.

—Je me disais que t'aurais eu envie de faire une incursion dans ma vie privée. T'as pas honte?

Le vieux et les adolescents traversaient la rue.

"C'est trop bête", se dit Simon. "J'aurais pu convaincre le vieux de changer. Maintenant il est trop tard. J'ai perdu. Tout ce que j'espère, c'est qu'un autre Simon Yourm le tuera et qu'il se souviendra. Il faut qu'il se souvienne!"

—Tu vois, quand j'ai constaté que des

chaises avaient été volées, je me suis douté que tu essaierais de me tuer AVANT. J'ai donc remonté le temps à toutes les cinq minutes. Qu'est-ce qui t'a pris de remonter aussi loin? Tu m'as donné bien du mal.

Le vieux saoul se releva et se mit à crier.

—Mais veux-tu bien changer de page! Et d'abord, qu'est-ce que tu fais là? C'est encore un coup de ma conscience de me faire un portrait déguculasse de ce que je vais devenir "si je n'arrête pas de boire"? Ah! mais vas-tu t'en aller? Vas-tu t'en aller?

Il hurlait maintenant. Une fenêtre s'ouvrit d'une maison voisine au moment où le vieux brandissait une bouteille de schnaps.

—C'est dimanche et il est sept heures du matin, espèce d'ivrogne! Silence!

Le saoulard lança sa bouteille au vieux qui l'évita sans peine. Elle alla briser la fenêtre d'où venait la voix.

Le vieux s'alluma un cigare.

—Je peux en avoir, hic! un?

—Oui, bien sûr! Tiens.

–Toi, ma conscience, ta gueule! Tu vas pas me dire que je vais me transformer en dragon parce que je fume!

–Et pour toi?

–Non, merci.

–Tu devrais... c'est un grand plaisir pour le palais. Surtout avant de mourir, semble-t-il. ça doit, puisque tous les condamnés à mort demandent à fumer. Je vais fumer le mien pour toi. Mais, après ça...

Après ça, une sirène de glisseur de police se fit entendre du bout de la rue. L'homme à la fenêtre avait porté plainte.

–Merde, la police! s'exclama le vieux.

Simon profita du moment de stupeur pour détaler. Il déboula une petite dénivellation, puis se releva et courut ventre à terre. Un éclair gicla brutalement dans l'aube qui perçait la nuit. Le fin pinceau d'incandescence sortit de l'arme du vieux et frappa Simon de plein fouet. Les viscères de Simon s'emplirent d'une lumière rousse et ruisselante. "Si près du but" fut son avant-dernière pensée. "Adieu Maude" fut sa dernière.

Pendant que Simon s'effondrait, mort, l'ivrogne se mit à crier, en voyant le glisseur de police arriver:

—C'est l'ambulance! L'ambulance pour Lisbeth!

—Non, pauvre fou! C'est la police, il faut nous cacher!

—Non! Laissez-moi! C'est l'ambulance!

Le glisseur approchait à toute vitesse.

—Allez, vieux!

—Non! Laissez-moi! Lisbeth!

Le vieux se précipita dans la rue, pour arrêter "l'ambulance". Le glisseur n'eut pas le temps de freiner.

La presse rapportait qu'un groupe de six à sept robineux avait poussé un certain M. Yourm sous les roues d'une voiture de police. M. Yourm, bien connu des milieux de la recherche en physique nucléaire pour son excentricité, fut tué sur le coup.

Ce qu'on ne lisait pas dans l'entrefilet, c'est que l'agent Mazur, dépêché sur les lieux suite à une plainte pour tapage nocturne, déclara à ses supérieurs avoir vu le groupe de robineux se volatiliser sous ses yeux.

Chapitre 24

Simon Yourm était étendu dans sa salle de repos. Les draps en désordre témoignaient de l'intérêt qu'il portait au film projeté par ses lentilles cornéennes-télévision. C'était une version des *Trois Mousquetaires* avec Gene Kelly.

Simon revenait de la banque et était tout à fait heureux. Suite à un opportun hold-up, on lui avait accordé un nouveau prêt, un nouveau sursis. Sur l'écran de ses paupières, Gene Kelly venait tout juste d'effectuer une spectaculaire pirouette en se jetant d'un rocher lorsque la sonnette de la porte retentit. Simon retira ses lentilles.

—Merde! Pas un autre créancier!

Il se glissa jusqu'à la fenêtre. Il aperçut une petite fille d'à peu près 7 ou 8 ans qui attendait à la porte avec une série de petits cartons attachés ensemble par de gros anneaux. Il alla ouvrir.

—Oui?

—C'est pour un abonnement au journal du matin, M'sieur.

Merci, j'en reçois déjà un.

—Vous avez un bon service? Car moi, vous savez, dit le p'tit bout de femme, je livre tous les matins. Très tôt.

—Non merci, de toute façon, je ne me lève jamais très tôt le matin. Merci quand même.

Il fermait déjà la porte lorsque la petite rouquine lui dit:

— Vous avez tort, M'sieur, renard qui dort la matinée n'a pas la langue emplumée.

La porte se rouvrit, lentement.

—Quel est ton nom petite?

—Maude Syen, M'sieur.

—Bon, après tout, j'ai changé d'idée. Je vais le prendre ton abonnement.

FIN

P.S. Six ans plus tard, les parents de Maude partirent pour l'Australie. Simon prit Maude en pension de façon à ce qu'elle puisse continuer ses études à Montréal. Il finit par l'adopter, ses parents étant morts dans un accident d'avion alors qu'ils revenaient la chercher, l'année suivante.

Achevé   Imprimerie
d'imprimer Gagné Ltée
au Canada Louiseville